De la même autrice:

Série « **Les filles au chocolat** » (10 tomes)

Série « **Le bureau des cœurs trouvés** » : Lexie Melody

Aux délices des anges

Miss pain d'épices

Rouge bonbon

Rose givrée

Les 5 lettres du mot cœur

La belle étoile

L'étoile Rebelle

Bleu espoir

Création graphique : Laurence Ningre

L'édition originale de ce livre a été publiée pour la première fois en 2014,
en anglais, par Puffin Books, (The Penguin Group, London, England),
sous forme de deux nouvelles, la première, sous le titre *Moon and stars: Finch's
Story*, la deuxième sous le titre *Snowflakes and Wishes: Lawrie's Story*.

Cœur poivré

Cathy Cassidy

Traduit de l'anglais par Anne Guitton

Nathan

Loin des yeux

1

près quelques échauffements, Fitz nous fait asseoir en cercle pour nous expliquer le prochain exercice. Ce sera une scène d'improvisation à deux voix : l'un de nous incarnera un vendeur poli mais exaspéré, l'autre un client en colère contre le monde entier.

— Pour ceux qui joueront le client, je voudrais que vous vous mettiez vraiment dans sa peau, dit-il. Imaginez que la vie n'a pas été tendre avec vous, et que vous vous attendez toujours au pire. Vous voyez tout en noir. Vous êtes renfrognés, grincheux… comme si vous aviez en permanence un nuage noir au-dessus de la tête.

Le temps qu'il passe au deuxième personnage, je ne l'écoute plus. Je lève le nez vers les gros projecteurs de théâtre qui éclairent la scène : pas de nuage en vue. Et même s'il y en avait un, je suis certain que je verrais la lumière à travers.

Ou plutôt, je l'aurais vue il n'y a pas si longtemps, quand je vivais encore dans un univers aux couleurs de l'arc-en-ciel et que j'avais l'impression d'être le garçon le plus chanceux de la terre.

Certaines personnes ont tendance à voir le verre à moitié vide, et d'autres le verre à moitié plein. Moi, j'ai toujours eu l'impression qu'il allait déborder d'un liquide joyeux et pétillant. Il suffit d'un peu d'optimisme pour que la vie soit belle. La mienne est plutôt géniale : j'habite une belle maison à Londres, ma mère est productrice de télé, je rencontre beaucoup de gens et je fais des tas de choses géniales. J'ai deux sœurs plus âgées que moi, Talia et Lara, toutes deux étudiantes à la fac. Mes parents sont séparés, mais ils s'entendent encore très bien.

Je fréquente un chouette collège, où j'ai de bonnes notes et pas mal d'amis. Enfin, il y a un an, j'ai décroché un petit rôle dans un téléfilm pendant l'été et je suis tombé raide dingue d'une des plus jolies filles du Somerset.

Vous voyez ce que je veux dire ? Je suis un vrai veinard. Mes copains sont verts de jalousie.

– Franchement, Jamie Finn, c'est quoi ton secret ? m'a demandé l'un d'eux un jour. Je parie que si tu tombais du haut de la grande roue, tu atterrirais dans une remorque de matelas en plumes qui passerait pile à ce moment-là. Une remorque qui serait tirée par...

je ne sais pas, Taylor Swift ou une actrice super canon. Aussitôt, ce serait le coup de foudre et vous partiriez ensemble pour Hollywood où tu entamerais une carrière de cascadeur. Tu as vraiment une veine incroyable.

J'ai rigolé, mais au fond j'étais d'accord avec lui. Je m'étais habitué à avoir de la chance. Je croyais que ça durerait toute ma vie.

Mais il y a trois ou quatre mois, un petit caillou est venu se glisser dans l'engrenage... et j'ai dérapé.

Ça arrive à tout le monde de faire des erreurs, non? Je n'avais rien planifié, mais j'ai vite compris que je ne pourrais plus faire machine arrière.

J'ai essayé de reprendre le cours de mon existence comme si de rien n'était, mais je n'y suis pas arrivé. Désormais, comme le personnage dont nous parlait Fitz tout à l'heure, je suis constamment poursuivi par un petit nuage noir et menaçant.

Je continue à assister à mes cours, aux répétitions du club de théâtre, à passer du temps avec mes amis, à faire la fête et à aller écouter des groupes dans les bars de Camden. Je fais tout comme avant – mais le nuage ne s'en va pas. D'une minute à l'autre, je m'attends à ce qu'il éclate et à ce qu'un déluge glacé s'abatte sur moi.

– Ça va? me demande la fille assise à côté de moi en me donnant un coup de coude. Tu suis, au moins?

– Bien sûr. Je réfléchissais juste à… des trucs. Rien d'important.

Elle lève les yeux au ciel. C'est Ellie Powell, une première de la classe horripilante qui voudrait que tout le monde soit aussi parfait qu'elle. Avant, j'étais passionné par le théâtre. Mais en ce moment, j'ai la tête ailleurs. Et forcément, ça n'a pas échappé à Ellie.

– Tu veux qu'on fasse l'exercice ensemble ? me propose-t-elle. Je te répéterai les consignes que tu as manquées. Tu sais, Jamie, même si ça ne t'intéresse pas, tu pourrais te concentrer un peu plus par égard pour le reste de la troupe.

– Mais si, ça m'intéresse ! C'est juste que j'ai des soucis.

– Bon, alors, on fait équipe ?

– Non, merci.

Je regarde autour de moi en quête d'un autre partenaire, n'importe lequel. À mon grand soulagement, mes yeux finissent par se poser sur un élève de 6e qui s'occupe habituellement des décors.

– Je vais travailler avec Kevin. Je ferai le vendeur poli, et lui le client énervé. D'accord, Kev ?

– C'est Kenneth, pas Kevin, me corrige-t-il.

Ces derniers temps, on peut dire que je les enchaîne. Sous les ricanements de ma voisine, j'entraîne le gamin récalcitrant à l'écart pour discuter de la scène que nous allons improviser. Cette Ellie me tape sur le système. Chaque fois qu'elle fixe sur moi son regard vert foncé, j'ai l'impression qu'elle me passe aux rayons X. Transperçant le masque d'assurance derrière lequel je me cache, elle lit en moi comme dans un livre ouvert. Et croyez-moi, je ne dis pas ça comme un compliment.

Au bout du compte, mon improvisation avec Kenneth est assez réussie. Il a insisté pour incarner le vendeur. Je me glisse donc dans la peau du client en imaginant que je m'adresse à Ellie, et laisse libre cours à la colère et à la frustration des derniers mois.

Fitz intervient au moment où je saisis mon partenaire par le col, le couvre d'injures et fais semblant de le plaquer contre le mur. Il tremble comme une feuille. Finalement, il n'est pas si mauvais acteur.

– Ça suffit! m'ordonne Fitz. Lâche-le! Kenneth, ça va?

– Oui, oui, répond timidement ce dernier.

Je prends conscience que j'y suis allé un peu fort.

– C'était du cinéma! j'assure. Je… je me suis laissé emporter. Excuse-moi, Kenneth. Désolé, Fitz.

De l'autre côté de la scène, Ellie vient de terminer une brillante improvisation avec la petite sœur de Fitz – qui n'est pas membre du club et était simplement venue apporter du chocolat chaud pour la fin de la répétition. En sentant le regard vert se poser sur moi, je me raidis.

– Tu m'écoutes ? m'interroge Fitz, voyant que j'ai décroché.

Puis il reprend son sermon sur le fait qu'il ne faut pas empoigner ses camarades par le col pendant les cours de théâtre.

– Pardon, Fitz, je marmonne.

– Tu as la tête ailleurs en ce moment. J'aimerais comprendre ce qui se passe. Viens me voir après la répétition, d'accord ? Il faut qu'on parle.

Le moment venu, c'est donc ce que je fais. Il me demande si tout va bien chez moi, car il a remarqué que j'étais moins bon depuis quelques semaines.

– Tu as un potentiel énorme, m'assure-t-il. Mais tu es aussi un instinctif, et tes problèmes personnels transparaissent dans ton jeu. Si tu ne parviens pas à te ressaisir, je serai obligé de revoir la distribution de notre pièce de fin d'année. Je ne peux pas me permettre de confier le rôle principal à quelqu'un d'instable.

Nous avons prévu de monter la comédie musicale *Grease*. Même si le casting n'est pas encore officiellement annoncé, Fitz m'a dit plusieurs fois que je ferais un super Danny. Mais voilà que le nuage noir s'apprête à me cacher le feu des projecteurs.

– Fais-moi confiance, Fitz ! Je te promets que ça va s'arranger. Ce ne sont que des soucis passagers.

– Je l'espère. Je ne peux pas t'attribuer le rôle si tu ne te donnes pas à fond.

– Je sais, je sais. Tu peux compter sur moi.

Avant, j'étais le garçon le plus fiable de ma classe, mais les choses ont changé. Et bien que je comprenne la déception de Fitz, je ne sais pas comment faire pour redevenir celui que j'étais.

Mais je vais essayer.

Quand je sors de la salle, tout le monde est déjà parti – à l'exception d'Ellie. Elle est assise sur un muret, jambes ballantes, avec un smoothie à la mangue du café d'à côté.

Je serre les dents, contrarié.

– Alors, Fitz te voulait quoi ? me demande-t-elle. La semaine dernière, il nous a dit que tu n'étais pas dans ton état normal et qu'il hésitait à te donner le premier rôle de *Grease*.

– Merci pour ton soutien.

– Je n'essaie pas de te soutenir. Secoue-toi, bon sang !

Incapable de lui répondre sans l'insulter, je préfère lui tourner le dos.

Ellie incarne tout ce que je déteste chez les filles. Sous ses airs sympathiques et joyeux, elle cache en réalité une personnalité insupportable. Elle est comme les chiots qui semblent montés sur ressort et fatiguent tout le monde. Et elle a le chic pour vous fixer de ses grands yeux verts jusqu'à ce que vous vous sentiez coupable.

– On devrait se voir en dehors des cours, un de ces quatre, m'a-t-elle suggéré un jour. Toi et moi, on est faits pour s'entendre.

Je suis convaincu du contraire.

Skye Tanberry, ma petite amie, n'a rien en commun avec Ellie. Elle vient de la campagne, elle est douce, gentille, rêveuse, et a une passion pour les vêtements vintage. Ça se passe à merveille entre nous, à un détail près : elle habite dans le Somerset, à plusieurs centaines de kilomètres de Londres.

Jusqu'à l'année dernière, on a survécu grâce aux cartes postales, aux textos, aux e-mails et aux coups de téléphone occasionnels. Pour la Saint-Valentin, elle est venue passer la journée à Covent Garden – même si je dois reconnaître que l'idée n'était pas de moi. C'est mon copain Tommy qui a tout arrangé. Il vit dans le même village que Skye et sort avec Summer, sa sœur jumelle. Il a imaginé cette surprise pour fêter leur anniversaire, qui tombe le 14 février.

Contrairement à lui, je ne suis pas très doué pour les élans romantiques. Je fais de mon mieux, mais cela ne suffit pas toujours.

Je suis déjà loin dans la rue quand Ellie me rattrape, après avoir jeté son smoothie pour courir vers moi. Elle a les joues rouges et les cheveux décoiffés. Je résiste à la tentation de tendre la main pour les remettre en place. Ses yeux lancent des éclairs.

– Ellie, je te préviens, je ne suis pas d'humeur à me faire harceler.

Elle resserre les pans de sa veste autour d'elle dans le soleil couchant.

– Et tu es d'humeur à quoi, alors ?

Même si je regrette déjà ce que je m'apprête à faire, c'est plus fort que moi. Je l'attrape par la taille, l'attire contre moi et l'embrasse. Ses lèvres ont un goût de mangue et de danger, mais cela n'a plus d'importance.

2

Ensuite, je raccompagne Ellie chez elle. Nous ne parlons ni de ce qui vient de se passer ni de quoi que ce soit d'autre. Nous marchons d'un pas lent dans les rues de Londres avant de nous embrasser une dernière fois au pied d'un lampadaire. Comment un acte aussi condamnable peut-il être si agréable ?

Lorsque je serre Ellie dans mes bras, le reste du monde disparaît et plus rien ne compte à part elle.

Je rentre chez moi rongé par la culpabilité. Le nuage noir m'accompagne, lourd et chargé de mépris.

Culpabilité et mépris : voilà tout ce que je mérite.

Je sors déjà avec une fille parfaite. Mais aujourd'hui, il y a Ellie.

Les relations à distance ne sont jamais évidentes. Dès le début, mes copains m'ont taquiné à ce sujet. Ils trouvaient que j'avais encore une sacrée veine : pendant que ma copine m'attendait à la campagne, je pouvais flirter avec qui je voulais à Londres.

Je leur ai rétorqué que ce n'était pas mon genre, mais l'avenir leur a donné raison.

– Une copine dans le Somerset ? a répondu Ellie la première fois que je lui ai parlé de Skye. C'est à des centaines de kilomètres d'ici. Tu n'as pas vraiment choisi la facilité.

– Je sais.

– Les amourettes de vacances ne sont pas faites pour durer.

– Tu n'y comprends rien.

Elle a éclaté de rire, et j'ai su qu'au contraire, elle comprenait parfaitement – sans doute même mieux que moi. Que je le veuille ou non, mon histoire avec Skye touchait à sa fin.

Pour être honnête, je m'en doutais depuis un moment. Avant que Tommy fasse venir les filles à Londres et que je rencontre Ellie. Je prenais mes distances, je n'appelais plus aussi souvent, j'oubliais de répondre aux messages. L'excitation des débuts avait disparu, mais cela ne me semblait pas une raison suffisante pour rompre avec Skye. J'avais décidé de passer une semaine chez elle pendant les vacances d'été, comptant sur le soleil et les fêtes à la plage pour raviver la flamme entre nous.

Et puis Ellie est entrée dans ma vie.

Elle a intégré le club de théâtre juste après Pâques,

et je l'ai tout de suite trouvée très agaçante. Elle en faisait des tonnes, mettait son grain de sel partout, disait ce qu'elle pensait sans se soucier des conséquences. Un jour, au mois de juillet, Fitz m'a chargé de terminer avec elle un décor représentant une colline boisée. J'étais coincé. Elle a commencé par me dire que mon jeu manquait de sincérité, que j'avais l'air d'essayer d'impressionner un public invisible.

Je ne voyais pas en quoi c'était mal.

– Tu n'es jamais à fond dans ton personnage parce que tu es trop occupé à sourire à tes fans. Tu dois oublier qu'on te regarde et te perdre dans ton rôle.

– Qu'est-ce que tu y connais ? Fitz est content de moi, et c'est lui le prof, non ?

– Je dis ça pour t'aider.

– Je n'ai pas besoin de ton aide.

– Tu es trop théâtral, a-t-elle insisté. Trop enflammé, trop passionné.

Sur ces mots, elle m'a embrassé – et j'ai compris de quoi elle parlait, car je me suis soudain senti très passionné. Quand on s'est écartés l'un de l'autre, elle avait de la peinture verte sur le nez et les cheveux en bataille. Je n'ai pas réussi à prononcer un mot. J'étais perdu.

Depuis, les choses n'ont fait qu'empirer, et le nuage a masqué le soleil, me condamnant à errer dans les ténèbres.

Ce n'était pas une histoire sérieuse, mais je me voyais mal aller à Tanglewood après ça. J'ai accepté un petit boulot de coursier pour la chaîne de ma mère, et j'ai annoncé à Skye que je serais pris tout l'été. Oui, je sais, ce n'était pas bien courageux de ma part. J'aurais dû la quitter à ce moment-là, mais ce n'est pas évident d'avouer qu'on a été infidèle. Et puis ce n'était pas comme ça que j'envisageais les choses ; j'étais persuadé que cette aventure resterait sans lendemain.

De plus, de son côté, Skye avait déjà pas mal de choses à assumer. Summer se remettait difficilement d'un trouble alimentaire, Honey, l'aînée, enchaînait les mauvais coups, et leur mère travaillait sept jours sur sept avec leur beau-père dans l'espoir de faire décoller la marque de chocolats de luxe qu'ils avaient créée. Au cours de l'été, j'ai appelé Skye à plusieurs reprises dans le but de rompre, mais je tombais toujours mal : Summer avait peur de rechuter, Honey était en pleine crise de nerfs, ou tout le monde était débordé à cause d'une commande urgente.

Je ne voulais pas en rajouter en lui annonçant la fin de notre relation par téléphone. J'ai donc décidé d'attendre pour lui en parler de vive voix. Le problème, c'est que je ne sais pas quand je la reverrai. Je vais devoir être patient et, le moment venu, trouver les bons mots – même si je doute qu'il y ait une « bonne façon » d'avouer ça.

– Explique-moi une chose, Jamie, m'a demandé Ellie peu de temps après m'avoir embrassé. Si c'est du sérieux avec ta copine, comment se fait-il que tu traînes avec moi?

Je n'ai toujours pas de réponse à cette question.

Heureusement, mes talents d'acteur me permettent de donner le change. Je souris, je ris, je plaisante avec mes amis, et personne n'a la moindre idée de ce que je traverse. Personne ne sait que je suis un horrible menteur et un lâche. Ni ma mère, ni mon père, ni mes sœurs. Mes copains non plus ne comprendraient pas. Ils me féliciteraient et me traiteraient de don Juan, alors que je suis tout le contraire.

Je dois être plus doué que Fitz ne le pense, car personne n'imaginerait en me voyant parler à Ellie que je sors avec elle, bien au contraire.

Et le fait est que je la déteste une bonne partie du temps – mais pas autant que je me déteste moi-même.

3

Le dimanche matin, je me connecte sur ma
page Facebook et découvre une photo publiée
par Tommy sur mon mur, avec la légende:
«Tu nous manques.» Elle a été prise lors d'une fête
sur la plage. Je contemple Skye, souriante sous un
chapeau à larges bords, Summer et Tommy main
dans la main, Coco, Honey et une bande de jeunes
du village faisant griller des marshmallows sur un feu
de bois, et je regrette moi aussi de ne pas être auprès
d'eux. Tout semble si simple, amusant et joyeux
là-bas.

Chez moi, le salon se remplit peu à peu, comme
cela arrive fréquemment le dimanche. Maman travaille très dur pendant la semaine, mais le week-end,
elle adore recevoir des amis et organiser de grands
déjeuners ouverts à tous.

Mes sœurs sont venues avec leurs petits amis, Tim
et Khai. Il y a aussi des collègues de maman: Peter,

un documentaliste, Adele, une présentatrice et Mozz, un cameraman. Lola et Kenzie, les deux enfants de son amie Della, sont en train de fabriquer des monstres en pâte à modeler à la table de la cuisine. Pendant ce temps, les adultes préparent le repas, lisent le journal, boivent du vin et discutent d'un million de choses. Apparemment, il y aurait une révolte en Amérique du Sud, une guerre au Moyen-Orient, et le gouvernement se serait encore une fois ridiculisé. Mes sœurs se demandent quant à elles s'il est possible de préparer un tiramisu sans œufs pour que Tim (qui est végétarien) puisse en manger, ou s'il se contentera d'une salade de fruits.

– Ah, te voilà, Jamie ! lance maman en m'ébouriffant les cheveux.

Elle est la seule que j'autorise à le faire, car j'ai horreur de ça. Je lui souris et envoie les enfants jouer au ballon dans le jardin le temps de mettre la table. Une nappe propre, douze assiettes, des couverts, des verres, quelques pichets d'eau glacée… j'ai tellement l'habitude que je pourrais le faire les yeux fermés.

Ensuite, mes sœurs apportent des plats de poivrons farcis, de risotto, de poisson grillé et de pâtes au pesto qu'elles disposent au centre de la table. Tout le monde s'installe et commence à se servir. Après un moment de silence satisfait, les conversations reprennent sur le ton joyeux qui caractérise ces délicieux repas du dimanche, dégustés en bonne compagnie devant la porte-fenêtre qui laisse entrer la brise de fin d'été.

J'écoute d'une oreille distraite Tim m'expliquer que le régime vegan est l'avenir de l'humanité, lorsque j'entends maman mentionner le nom de Charlotte, la mère de Skye. Je me redresse brusquement.

– Ils seraient vraiment parfaits pour cette émission, Peter. Je passerai un coup de fil à Charlotte demain matin afin de savoir ce qu'elle en pense. Mais je suis sûre que Paddy et elle seront partants ! Ce serait un excellent moyen pour eux de se faire connaître. Ils forment une adorable famille recomposée avec leurs cinq ravissantes filles. Ajoute à cela une grande maison en bord de mer... tu as de quoi faire exploser l'audimat !

– Il nous faudra quelques rebondissements, lui rappelle Peter. Les histoires trop lisses n'intéressent personne.

– Ne t'inquiète pas pour ça ! Chez les Tanberry-Costello, les journées sont de véritables montagnes russes ! En fait, ils ont eu plus que leur part de problèmes... Une de leurs filles est anorexique, et l'aînée a failli devenir délinquante – même si je ne suis pas certaine qu'ils aient envie d'en parler à la télévision. Ce qui est sûr, c'est qu'on ne s'ennuie jamais à Tanglewood. Les filles, quatre blondes et une métisse japonaise, sont toutes plus belles les unes que les autres. On pourrait aussi faire participer leurs petits copains et leurs amis. L'un d'eux, Shay, est auteur-compositeur. Il y aurait sans doute quelque chose à creuser de ce...

– Maman ? je la coupe. De quoi est-ce que vous parlez ? Qu'est-ce que la famille de Skye a à voir avec ton travail ?

– Peter et Adele préparent une nouvelle émission de télé-réalité, un programme léger et dans l'air du temps centré sur une entreprise familiale. Peter cherchait un restaurant ou un *bed and breakfast*, mais j'ai immédiatement pensé à Charlotte et à Paddy. « L'envers du décor d'une chocolaterie », ça ferait un bon sujet...

– J'aimerais beaucoup les rencontrer, confirme Adele. Ils ont l'air formidables. Et ce côté gourmand associé au quotidien d'une famille à problèmes...

Je lâche ma fourchette sur la table.

– La famille de Skye n'a pas de problèmes ! Maman !

– Non, bien sûr que non, me rassure celle-ci. Ce n'est pas ce qu'Adele voulait dire. Ils sont seulement... représentatifs de notre époque. Les téléspectateurs pourront s'identifier à eux. Ne t'inquiète pas, Jamie, je ne demanderais jamais à Charlotte et à Paddy de faire quoi que ce soit qui les mette mal à l'aise !

Adele lève les mains en un geste d'excuse.

– Pardonne-moi, Jamie, je me suis mal exprimée.

Ta mère a raison : nous cherchons juste une famille qui passe bien à l'antenne. Notre intention n'est ni de les montrer sous un mauvais jour ni de profiter d'eux... nous aimerions simplement illustrer les défis qu'ils affrontent au quotidien, et nous réjouir avec eux de leurs succès. L'idée, c'est de proposer une émission positive et pleine d'optimisme.

– Mais avant le happy end, il nous faut des hauts et des bas, m'explique Peter. C'est comme ça que ça marche à la télé.

Je fronce les sourcils. Grâce à mon boulot d'été, je sais qu'on peut faire dire ce qu'on veut aux images. On peut facilement recouper certaines scènes, leur donner une tonalité plus ou moins dramatique ou sereine. Mais j'ai confiance en ma mère : si elle compte impliquer la famille de Skye dans ce projet, c'est qu'elle pense sincèrement que cela peut leur être utile et leur faire passer un bon moment.

– Tu crois que ça les intéresserait ? lui demande encore une fois Adele, les yeux brillants.

Maman hausse les épaules et commence à débarrasser la table pour apporter le dessert.

– Comme je te l'ai dit, je les appellerai demain matin. S'ils veulent en savoir plus, on organisera une visite à Tanglewood. Vous vous ferez une idée et répondrez à toutes leurs questions.

– C'est dans le Somerset, c'est bien ça ? s'enquiert

Peter. Ça vaut le coup d'aller y jeter un œil, en effet. C'est une très belle région, et cette famille m'a l'air parfaite. Je suis d'accord avec toi : on pourrait faire exploser l'audimat !

– Vous, les documentalistes, vous êtes toujours partants pour une balade gratuite ! On verra ce qu'ils en pensent. En tout cas, si ça se confirme, j'en connais un qui se fera une joie de nous accompagner. Pas vrai, Jamie ?

J'essaie de prendre un air détaché malgré le rouge qui me monte aux joues. Une visite à Tanglewood et l'occasion de discuter enfin avec Skye : n'est-ce pas justement ce que j'attendais ?

Mes vagues intentions de renoncer à Ellie sont aussitôt oubliées. C'est décidé, je vais tout dire à Skye. L'amour à distance, c'est trop compliqué. D'ailleurs, ses messages se font plus rares depuis quelque temps ; je suis sûr qu'elle comprendra. Je n'aurai peut-être même pas à lui parler d'Ellie ; je mettrai cette rupture sur le compte de l'éloignement.

– Bien sûr qu'il rêve de passer un week-end à Tanglewood ! lance Talia à la cantonade. Pour voir la jolie Skye, sa chérie ! Ils se sont rencontrés pendant que maman tournait un téléfilm là-bas. Super romantique, non ? Un an plus tard, leur couple est toujours aussi solide... qu'est-ce que tu dis de ça, Adele ? En voilà un bon sujet pour la télé !

– Waouh! s'extasie Peter. Je comprends pourquoi tu as pris leur défense tout à l'heure! C'est trop mignon. Ne t'inquiète pas, on les traitera avec beaucoup de délicatesse.

– Mais oui, conclut Mozz. Bon, il reste du tiramisu?

Adele me regarde d'un air songeur par-dessus son verre de vin.

– Tu sais, Jamie, on pourrait même t'inclure dans l'émission. Organiser une scène de retrouvailles entre adolescents amoureux!

Je prends ma tête entre mes mains et réponds:

– Ce serait vraiment... génial.

4

Comme maman l'avait prédit, Charlotte et Paddy sont très intéressés par ce projet de télé-réalité centré sur leur entreprise. Qui ne le serait pas à leur place? Nous nous rendrons donc à Tanglewood samedi prochain avec Adele, Peter et Mozz, qui ont des tonnes d'idées à leur présenter. Maman m'explique:

– On en est encore au stade de la conception: Charlotte et Paddy pourront donner leur avis et construire une émission qui leur ressemble. Je vais leur conseiller de s'impliquer du début à la fin, et de demander un droit de veto en cas de souci. Ce serait vraiment une chance incroyable pour La Boîte de Chocolats!

– Je m'en doute.

– Tu es stressé à l'idée de revoir Skye ?

– Bien sûr que non. Il n'y a pas de quoi.

– Charlotte nous a invités à passer le week-end chez

eux. Ça permettra à Peter et Mozz de faire quelques repérages, et à Adele d'apprendre à les connaître. Skye et toi aurez largement le temps de vous retrouver. Je sais que vous en mourez d'envie!

– Maman! Arrête!

Elle sourit d'un air entendu, comme si elle m'offrait un week-end de rêve et non une montagne de problèmes. J'ai effectivement envie de revoir Skye, mais je ne peux m'empêcher de m'interroger sur l'issue de notre séjour. Je lui envoie un texto enthousiaste, dans lequel je mentionne toutefois que nous allons devoir discuter.

Cool, répond-elle. *J'ai hâte. J'ai tellement de choses à te raconter... on ne s'est quasiment pas parlé de l'été!*

Envahi par une bouffée de culpabilité, je me demande une nouvelle fois comment je me suis retrouvé dans un tel pétrin. Puis je repense à la photo de Tommy sur Facebook, à mes amis en train de s'amuser sans moi, et ma gêne se transforme en colère.

J'envoie alors un message à Ellie, qui me répond presque instantanément.

Rdv dans dix minutes!

J'attrape ma veste et me dirige vers le parc.

Assis sur le tourniquet de l'aire de jeux, je la regarde approcher. En cette heure tardive, l'endroit a quelque chose de magique. Plus tôt dans la journée, nous aurions été chassés des balançoires et du toboggan par des parents fatigués et des bambins aux mains sales ; mais le soir, cela devient notre territoire. Selon moi, on n'est jamais trop vieux pour les aires de jeux.

Ellie s'est drapée dans une écharpe à franges pour se protéger du froid. On est en octobre, et, malgré le beau temps, les nuits sont déjà fraîches. Octobre... cela fait donc quatre mois que je sors avec Ellie. Quatre mois de mensonges et de dissimulation.

Dès qu'elle est à portée de voix, je lance :

– Il faut qu'on arrête. On ne peut pas continuer à se voir.

– D'accord, répond-elle comme si cela ne lui faisait ni chaud ni froid. Ce n'est pas plus mal. Tu es le type le plus désagréable que je connaisse. Je me demande bien ce que je te trouve.

– C'est réciproque. Tu es la fille la plus insupportable du monde. Il faut toujours que tu me contredises. Sauf aujourd'hui... j'en déduis donc que tu es d'accord ?

En toute franchise, je suis un peu déçu. Dire que j'ai passé quatre mois à me torturer alors qu'elle se fichait complètement de moi. Si j'avais su...

– Bien sûr, aucun problème. On n'est pas faits pour être ensemble. On se dispute tout le temps. Et puis, tu n'es pas mon genre... tu es trop prétentieux, tu ne supportes pas les critiques. Reconnais-le : on a des caractères diamétralement opposés.

– C'est faux, j'accepte les critiques ! À condition qu'elles soient justifiées.

– Je déteste aussi ton look. Regarde-moi cette horrible veste… on dirait que quelqu'un est mort dedans !

– Elle est vintage ! je proteste. C'est un authentique uniforme de la Seconde Guerre mondiale ! Je l'ai payée cinquante livres sur le marché de Camden !

– Tu t'es fait avoir. Désolée, Jamie, je crois que rompre est la meilleure chose à faire. Reste avec ta copine de la campagne… vous êtes bien mieux assortis.

– Possible. Toi et moi, c'était sans doute une énorme erreur.

Ellie hausse les épaules sans répondre et pousse du pied sur le sol pour lancer le tourniquet. Nous pivotons lentement sur nous-mêmes dans le crépuscule.

– En fait, j'ai du mal à comprendre que tu veuilles rester fidèle à une fille que tu n'as pas vue depuis février. D'ailleurs, pour la fidélité, tu repasseras. Qu'est-ce qu'elle a de si spécial, cette Skye ?

– Elle est géniale. Elle te plairait.

– Ça m'étonnerait. Je la déteste depuis que j'ai appris son existence. Elle a l'air trop parfaite pour être vraie. Comment rivaliser avec ça ? J'ai des défauts, mais je ne suis pas insensible, tu sais.

Je tends la main vers elle, mais elle retire la sienne d'un geste brusque.

– Bref, tu as fait ton choix, conclut-elle. Skye a gagné. J'ai perdu. Tant pis pour moi.

Il n'y a plus d'agressivité dans sa voix ; celle-ci a laissé place à de la tristesse. Je me mords les lèvres.

– C'est juste que je dois aller à Tanglewood le week-end prochain. Il fallait que je prenne une décision. J'étais quasiment sûr que le mieux serait de rompre avec Skye, et puis, quand je t'ai vue, j'ai recommencé à me sentir coupable et tout s'est embrouillé dans ma tête...

– Alors tu as préféré me plaquer.

– Pas vraiment. Franchement, je ne sais plus où j'en suis. J'aurais dû tout lui dire depuis longtemps, mais c'est compliqué...

Ellie éclate de rire.

– Compliqué ? Tu te moques de moi ? On parle d'une relation entre ados de quatorze ans ! Jamie, tu es lâche, c'est tout !

J'accuse le choc. Elle a raison.

– Mais si, je t'assure. Avant qu'on se rencontre, Skye avait rêvé d'un garçon qui me ressemblait. Ma mère préparait un téléfilm dans son village, et c'est là qu'on s'est croisés. On s'est plu dès le premier regard. Ce n'était sans doute qu'une amourette de vacances, mais, à cause de ses rêves, Skye y a vu bien plus que ça. Elle pensait que c'était le destin.

– Le grand amour.

– N'exagérons pas. À la fin de l'été, on a décidé de continuer, et la distance n'a pas eu l'air de changer quoi que ce soit pour Skye. Mais de mon côté, la magie est retombée. Et puis tu as débarqué.

– Pas de chance.

– Au contraire.

Je le pense sincèrement. Ellie est l'une des choses les plus incroyables qui me soient arrivées, même si je n'ai pas su comment réagir. Elle a une bonne influence sur moi ; face à sa franchise et à son assurance, mon personnage de charmeur prétentieux n'aura pas tenu longtemps. Skye, elle, ne me contredit jamais et ne s'oppose jamais à moi. Ellie me voit tel que je suis, sans filtre. C'était agréable d'être le garçon des rêves de Skye, mais ça ne m'a jamais paru très réel.

Ellie est assise sur le tourniquet, les jambes croisées et le regard impénétrable. Je n'en reviens pas d'avoir été aussi bête. Skye et elle sont deux filles formidables, mais la première n'est pas faite pour moi. J'en ai conscience depuis un moment. Si je ne le lui avoue pas, je risque de perdre Ellie… et ça, c'est hors de question.

Je tente une nouvelle fois de lui prendre la main, mais elle saute du tourniquet et se dirige vers le toboggan.

– J'étais à côté de la plaque, je lance. Un rêve n'est pas une raison suffisante pour rester avec quelqu'un.

Je me suis voilé la face... Avec Skye, c'est terminé. Il faut juste que je trouve le courage de le lui dire.

– Appelle-moi quand tu seras célibataire, réplique Ellie. J'en ai assez que tu me fasses mariner. Règle tes affaires avec Skye, et on aura peut-être une chance, tous les deux. Ou pas.

– Ne sois pas comme ça...

Je la rejoins près du toboggan. Elle grimpe l'échelle et s'assied au sommet, prête à se laisser glisser, son beau visage pâle se détachant dans le crépuscule.

– Comme quoi? Tu viens de m'annoncer qu'on devrait rompre, Jamie, et j'étais d'accord avec toi. C'est la phrase la plus sensée que tu aies prononcée depuis qu'on se connaît. Ça me paraît la meilleure chose à faire.

– Mais je me suis trompé. C'est avec Skye que je veux rompre. Et je vais le faire. Ce week-end.

– Je te le répète: appelle-moi quand tu seras disponible, et on verra. Je n'ai pas envie d'être ton second choix.

– Ce n'est pas le cas!

Elle s'élance sur le toboggan, cheveux au vent.

J'ouvre les bras pour la rattraper, mais elle se relève sans m'en laisser le temps et s'éloigne en courant vers la lumière orangée de la civilisation.

– Ellie! je hurle dans son dos.

Elle ne se retourne pas.

5

etourner à Tanglewood me donne l'impression de remonter le temps. Nous partons en voiture le samedi matin, pour trouver l'inspiration, nous documenter et, dans mon cas, passer un mauvais quart d'heure. Mais je suis déterminé. Voilà plusieurs jours que je répète mon discours de rupture, pesant soigneusement chacun de mes mots afin qu'il soit le moins blessant possible. En bref, je suis mort de trouille.

Nous arrivons juste après le déjeuner. La maison est toujours aussi magnifique, chaotique et accueillante. Fred, le chien, court autour de nos trois voitures en aboyant. Le visage couvert de taches de rousseur de Coco apparaît à la porte de l'étable, entre la tête de son mouton Joyeux Noël et le museau de sa ponette Coconut.

– Ils sont là! s'écrie-t-elle.

Paddy sort de l'atelier, enveloppé d'un tablier crème

marbré de chocolat, tandis que Charlotte, Cherry, Summer et Honey se précipitent vers nous. Elles rient, nous serrent la main et parlent toutes en même temps. Lorsqu'elles entraînent les amis de maman à l'intérieur, je découvre Skye qui attend patiemment sur le côté. Elle porte une minirobe noire très cool, avec des collants blancs et des bottines à imprimé damier. Ses cheveux blonds, séparés par une raie au milieu à la mode des années soixante, retombent en ondulant sur ses épaules. Elle a souligné ses yeux d'un trait d'eye-liner noir.

Elle est superbe. Si je la croisais dans la rue sans la connaître, je me retournerais sur elle comme n'importe quel autre garçon.

– Coucou, je dis. Ça faisait longtemps…

– Salut. Les vacances ont été moins drôles sans toi.

Je tente de sourire, sans grand succès.

– Je sais… j'espérais pouvoir venir un week-end, mais je n'ai pas arrêté une seconde. Désolé.

– Pas de problème. Je comprends.

Je regrette un peu qu'elle reste si calme ; j'aurais préféré qu'elle se mette en colère et me fasse des reproches. Qu'en mon absence, elle soit devenue moins jolie, moins élégante, moins souriante – et non l'inverse. J'aimerais éprouver pour elle les mêmes sentiments qu'autrefois, mais l'excitation des débuts n'est plus là. S'en est-elle aperçue ?

Toute la semaine, Ellie a ignoré mes textos et mes appels. Elle n'est pas venue à la répétition de théâtre et n'a répondu à aucun de mes messages Facebook. On dirait que, pour elle, c'est vraiment terminé. J'ai perdu la fille à laquelle je tenais plus que tout parce qu'à force de vouloir bien faire, je me suis transformé en menteur infidèle.

«Appelle-moi quand tu seras célibataire.» Quand je pense à cette phrase, je reprends un peu espoir.

Skye m'observe avec un mélange de timidité et d'impatience. En temps normal, je l'aurais déjà embrassée et soulevée dans mes bras pour la faire tourbillonner. Mais mon enthousiasme est retombé peu à peu, comme un soufflé. Je me penche vers elle pour une étreinte maladroite, comme si je saluais une vieille tante perdue de vue depuis dix ans. En reconnaissant le parfum familier de son gel douche au citron, je m'écarte brusquement. Le visage rouge, je déglutis avant de déclarer:

– Il faut qu'on parle. On a... pas mal de temps à rattraper.

– Tu as raison. Mais ce soir, avec la fête d'Halloween, ça risque d'être difficile...

– C'est Halloween? Mince, j'avais complètement oublié qu'on était le 31 octobre aujourd'hui. J'ai eu beaucoup de choses en tête ces derniers temps. Et maman n'a pas dû y penser... sinon on n'aurait jamais débarqué comme ça en bouleversant votre programme!

– Aucun problème. En fait, ta mère s'est dit que ce serait l'occasion pour ses collègues de voir l'ambiance qui règne ici et de rencontrer les villageois. Elle voulait leur donner une idée du genre de scènes qu'ils pourraient tourner pour l'émission...

Je soupire. Ma mère a beau être géniale, elle ne perd jamais le nord.

– Et toi, tu en penses quoi, de ce projet?

Skye hausse les épaules.

– Maman et Paddy y voient un bon moyen de faire parler de leur marque, à condition que ce soit bien réalisé. Ils ne veulent pas qu'on s'attarde trop sur la maladie de Summer et les problèmes de Honey. Mais à part ça, ils sont plutôt motivés. Les nouvelles vont vite par ici; la moitié du village risque de venir ce soir dans l'espoir de connaître son quart d'heure de célébrité. Ta mère et ses amis vont nous trouver trop dingues pour passer à la télé!

– Je suis sûr qu'ils seront séduits. Alors, si j'ai bien compris, on a une grosse fête à préparer?

– Oui. Tommy et Shay nous rejoindront tout à l'heure. Il reste des tonnes de choses à faire... tu pourras peut-être donner un coup de main pour la déco, et aider à construire le bûcher pour le feu de joie. En attendant, on a dix citrouilles à creuser. Il y avait une promotion au supermarché ce matin!

Je me retrouve donc assis avec les filles à la table de la cuisine pendant que Charlotte fait visiter la maison, la chocolaterie, le jardin et la plage à maman, Peter, Adele et Mozz. Nous commençons par vider la chair orange et les graines des énormes citrouilles, avant de réserver la partie comestible pour la soupe. Puis nous rinçons les graines et les mettons à sécher sur des torchons. Les enfants en feront des bracelets et des colliers. Ensuite, nous passons à la découpe de nos futures lanternes. Je me contente d'un motif simple représentant un croissant de lune et des étoiles. Les filles, beaucoup plus douées, sculptent des spirales et des sorcières sur des balais. Honey réalise même un superbe chat à la queue enroulée, au-dessus duquel elle écrit: «Happy Halloween». Sa tâche accomplie, elle se met à faire frire des oignons pour la soupe.

Impossible de rester longtemps mal à l'aise au milieu des sœurs Tanberry qui font les folles et rient aux éclats. Les conversations s'enchaînent; personne ne me demande où j'étais ces derniers mois ni pourquoi je suis revenu. Les filles acceptent simplement ma présence. Dès que je termine une citrouille, on m'en donne une autre. Avec l'arrivée de Shay et Tommy, l'excitation atteint son comble.

Nous nous séparons en deux groupes. Tommy, Summer, Skye et Honey se mettront aux fourneaux afin de préparer la fameuse soupe de citrouille et un gâteau fantôme au chocolat blanc, ainsi que des cupcakes ornés de toiles d'araignée et un plat de ce qu'ils appellent le «Pudding Sanglant». À mon grand soulagement, on m'envoie à l'extérieur avec l'équipe de Shay, Cherry et Coco, où nous commençons par confectionner de petits lampions avec des pots de confiture et du fil de fer. Nous en remplissons vite une caisse ; il n'y aura plus qu'à allumer les bougies et à les suspendre aux arbres à la nuit tombée.

Nous allons ensuite ramasser des brassées de bois mort sur la plage, auxquelles nous ajoutons quelques cageots afin de dresser un immense bûcher au fond du jardin. Pendant que Shay installe des enceintes, nous drapons les buissons de guirlandes électriques.

Il ne m'aura pas fallu longtemps pour retomber sous le charme de Tanglewood... ou presque – car Ellie occupe encore toutes mes pensées.

Bientôt, Charlotte nous appelle et nous nous installons sur des chaises dépareillées autour d'un buffet froid, afin de prendre des forces en attendant l'heure de la fête. Je m'assieds à côté de Skye bien que je ne sache pas quoi lui dire.

Apparemment, les négociations autour de l'émission de télé avancent. Peter, Adele et Mozz débordent d'idées, auxquelles Charlotte et Paddy se font un plaisir d'ajouter leurs suggestions. Maman n'arrête pas de prendre des notes. Mozz fait parfois une pause entre deux bouchées pour photographier le chien, la cuisinière couverte de nourriture ou la citrouille «Happy Halloween» que Honey a posée sur le rebord de la fenêtre.

Au bout d'un moment, Charlotte se tourne vers moi en souriant.

– Comme on a transformé une de nos chambres d'amis en bureau, on va être un peu serrés. Je pensais te faire dormir avec ta mère, jusqu'à ce que Skye me rappelle que la roulotte était libre. On t'y a préparé un lit.

– C'est la meilleure chambre de Tanglewood! déclare Summer.

– Tout à fait, confirme Cherry.

Tommy sourit.

– Vous vous souvenez quand on s'y est raconté des histoires de fantômes il y a deux ans? On pourrait recommencer!

– Oh oui! acquiesce Shay. Organisons une contre-soirée!

– Ignore-les, me conseille Charlotte. Amusez-vous, mais ne les laisse pas t'envahir contre ton gré! La roulotte est tout à toi. Ça te va?

– Parfait, merci!

Si je m'écoutais, je courrais m'y réfugier dès maintenant et resterais enfoui sous les couvertures jusqu'au lendemain midi. Skye me regarde d'un drôle d'air. A-t-elle lu dans mes pensées ?

J'aurais aimé avoir le cran de lui parler plus tôt. Avec le recul, je reconnais que, si j'ai fait traîner les choses en longueur, ce n'était pas pour la ménager. Je m'en veux terriblement et je suis pressé de mettre un terme à cette situation – mais je ne veux pas non plus gâcher la fête en causant une scène devant tout le monde. Ce serait cruel.

– Allez, intervient Honey. Il est temps de nous préparer. Suivez-moi à l'étage, je vais vous maquiller en ce que vous voulez. Que la fête commence !

Je ne peux pas m'empêcher de grimacer. Skye, à qui cela n'a pas échappé, me fixe de ses grands yeux tristes.

6

*L*a fête s'annonce mémorable. Nous nous dépêchons de boucler les préparatifs de dernière minute : suspendre les lampions, allumer les guirlandes, disposer les lanternes-citrouilles autour de la maison et devant la porte. Une multitude de quiches, de feuilletés à la saucisse et de pommes de terre garnies attendent sur la table. La soupe de citrouille mijote doucement sur la cuisinière, à côté d'une pile d'assiettes et de cuillères.

Paddy et Charlotte se sont transformés en zombies au teint pâle, avec de fausses plaies et des cernes noirs sous les yeux. Tout de blanc vêtus, ils traînent derrière eux leurs bandages ensanglantés. Skye et Summer sont en sorcières, avec des robes noires assorties, d'immenses faux cils et du rouge à lèvres noir. Honey a opté pour une tunique blanche vaporeuse et des ossements en plastique dans les cheveux, tandis que Coco arbore une moustache et des oreilles de chat noir. Shay, Tommy et moi nous contentons d'un maquillage de monstre vert façon Frankenstein. Quand les visiteurs commencent à arriver, je ne sais plus où donner de la tête. Il y a plus d'extraterrestres, de mariées cadavériques, de vampires, de sorciers, de momies, de trolls, de gobelins, d'elfes, de loups-garous et de créatures effrayantes que je n'en ai jamais vus.

Une zone de jeu a été installée dans la grande salle où les hôtes du *bed and breakfast* prenaient autrefois leur petit-déjeuner. Les enfants s'amusent à attraper avec les dents des pommes flottant dans des seaux d'eau, ou à croquer, les yeux bandés, celles qui sont suspendues aux poutres. Les plus jeunes se bourrent de sucreries, les ados de soda et de gâteaux, et les adultes sirotent le punch concocté par Paddy. Ça me fait bizarre de revoir tous ces gens que j'ai fréquentés l'été dernier. Je suis soulagé lorsque Skye, Summer, Tina, Millie et leurs amis disparaissent dans le jardin pour échanger des confidences et des histoires qui donnent la chair de poule. Seul avec Tommy, je me sens plus à ma place.

Nous rejoignons les autres invités dans le salon. Maman porte juste une paire d'oreilles de chat et une queue en fausse fourrure qu'elle a dénichées dans un coffre à déguisements, mais Peter, Adele et Mozz se sont déchaînés sur le maquillage. Avec leurs visages marbrés de blanc, de gris, de bleu et de vert et leurs costumes déchirés, ils se fondent sans problème parmi les villageois, répondant à leurs nombreuses questions tout en mangeant et en prenant des notes. La concurrence est rude pour le casting de l'émission ! On se croirait dans une version cauchemardesque d'*Un Incroyable Talent*. Un vieil homme habillé en sorcier décide même de pousser la chansonnette dans la cuisine afin de les convaincre de lui attribuer un rôle.

– C'est dingue, commente Tommy. Si le projet se concrétise, la folie des grandeurs va s'emparer de notre petit village. Il y a d'abord eu le téléfilm, et maintenant cette émission… si ça continue, on va nous installer un panneau Hollywood au bout de l'allée !

– Oui, Paddy et Charlotte ne savent pas où ils mettent les pieds !

– Je me demande quel titre ils vont choisir. « Paddy et la Chocolaterie » ? « Chocolats et tralalas » ? « Le village des damnés » ?

Il tente de garder son sérieux tandis qu'une diseuse de bonne aventure zombie s'approche de nous, une assiette de Pudding Sanglant à la main. Elle porte un foulard à pois sur les cheveux, de grands anneaux dorés et une robe de gitane à volants.

– Cette fête est incroyable ! s'extasie-t-elle entre deux bouchées. Les pouvoirs surnaturels sont plus présents en cette période de l'année. Attention… les esprits nous surveillent !

– Vous croyez, Mrs Lee ? interroge Tommy. Moi, tant qu'ils se tiennent à l'écart des feuilletés, je m'en fiche !

– Toujours aussi sceptique, à ce que je vois, grogne Mrs Lee avant de se tourner vers moi. Hum… on ne se connaît pas, si ?

– Voici Jamie Finn, présente Tommy. Le copain de Skye.

– De Skye ? Ah non, ça m'étonnerait. Je lui ai lu les lignes de la main il y a quelques semaines, et le garçon que j'y ai vu ne lui ressemblait pas du tout. Or, mes prédictions se réalisent toujours !

– Pourtant, l'année dernière, vous aviez prédit à Skye qu'elle allait bientôt tomber amoureuse. Et juste après, Jamie est arrivé. Vous vous seriez donc trompée ?

– Non, cela ne m'arrive jamais. Mais la vie n'est pas un long fleuve tranquille, Tommy. L'amour va et vient… Si ce jeune homme m'est apparu dans l'avenir de Skye, je crains que cela n'ait été que passager…

Elle m'attrape la main et la scrute en plissant les yeux. Je me tortille, terrifié à l'idée des mensonges, des tromperies et des catastrophes qu'elle pourrait y voir.

– C'est bien ce que je pensais, confirme Mrs Lee. Tu as déjà quelqu'un dans ta vie. Quelqu'un avec qui tu entretiens une relation secrète tumultueuse, mais sincère. Je comprends mieux que tu aies disparu du futur de Skye! Oh, mais ne serait-ce pas Paddy qui approche avec le punch d'Halloween? Je vais juste remplir mon verre...

C'est une chance que mon visage soit recouvert d'une épaisse couche de maquillage vert – sans quoi, Tommy aurait vu que j'étais tout rouge. Je joue les offusqués.

– Mais enfin, qu'est-ce qu'elle raconte?

– Oublie ça. Mrs Lee est un peu dingue. Elle prétend être à moitié gitane et voir l'avenir. Pourtant, au bureau de poste où elle travaille, elle n'est même pas capable de déchiffrer les étiquettes de recommandés sans ses lunettes. Elle n'est pas méchante, et je sais que c'est Halloween, mais qui croit encore aux fantômes, aux vampires et aux prémonitions? Ce sont des histoires de grand-mère!

– C'est clair!

Je baisse les yeux vers ma main, dont les lignes et les plis forment le même dessin que d'habitude. Comment peut-on y lire une relation «secrète tumultueuse»? C'est impossible.

Je chasse cette pensée troublante de mon esprit.

– Feu de joie? me propose Tommy. Les autres doivent déjà être autour. Et Shay avait promis d'apporter sa guitare.

Plus tard, bien après minuit, une fois Tommy, Shay, Millie, Tina et les autres rentrés chez eux, Skye m'accompagne jusqu'à la roulotte. Lorsque nous nous enfonçons entre les arbres encore illuminés, je sens qu'elle aimerait que je lui prenne la main. Mais ce serait une très mauvaise idée. À la place, je m'exclame :

– Cette fête était géniale !

Je suis sincère ; j'avais oublié combien on s'amusait à Tanglewood.

– J'ai du mal à croire que tu sois ici, me répond-elle. On ne s'est pas vus depuis une éternité, et le jour où on se retrouve enfin, je dois te partager avec la moitié du village...

– La moitié ? J'aurais juré qu'il était là au grand complet !

– Peu importe. J'étais juste impatiente d'être en tête-à-tête avec toi.

En tête-à-tête ? Je regarde vers le ciel de velours noir moucheté d'étoiles, au milieu desquelles brille un croissant de lune. Ce serait le moment idéal pour dire la vérité à Skye et rompre enfin avec elle.

Nous arrivons devant la roulotte, dont les marches sont éclairées par la lueur orangée d'une citrouille.

– Skye...

Je m'interromps, car ce n'est pas évident d'entamer

une discussion sérieuse avec une sorcière, surtout quand on ressemble soi-même à un monstre vert. Je sors mon mouchoir pour m'essuyer le visage, mais, sans eau ni savon, c'est peine perdue.

– J'adore ta veste d'uniforme, dit Skye en souriant. C'est une des premières choses que j'ai remarquée chez toi. Elle était un peu trop grande à l'époque, mais aujourd'hui, elle te va comme un gant.

– Je ne l'aime plus tellement. Je crois que j'en ai assez du style vintage.

Je suis le premier surpris par cet aveu.

– Dommage, répond Skye. Les vieux vêtements ont une histoire. Ah, si seulement ils pouvaient parler...

– Mais ce n'est pas possible. Pas même le soir d'Halloween. Le passé est le passé. On aura beau faire tous les efforts du monde, il ne reviendra pas.

J'aimerais pouvoir retourner au début de ma relation avec Skye et empêcher mes sentiments de décliner, mais je ne peux pas. C'est trop tard.

– Finalement, c'est peut-être mieux comme ça, déclare-t-elle. J'ai déjà trop d'imagination, inutile d'en rajouter !

– Tu te souviens des rêves que tu m'as racontés, dans lesquels j'apparaissais ? Tu disais qu'on était faits l'un pour l'autre, que tu m'avais reconnu.

Elle rit tristement.

– J'ai dit ça ? C'est vrai que je faisais des rêves

étranges à l'époque. Pendant quelque temps, j'ai cru en être l'héroïne, mais je me trompais. Encore une fois, j'ai trop d'imagination.

– Et le garçon, c'était bien moi ?

– C'est ce qu'il me semblait... mais sans doute que non. Je me suis laissé emporter. Tu as raison : le passé est le passé. Il faut l'accepter et savoir tourner la page.

Mon cœur tambourine dans ma poitrine. Skye est-elle en train de m'annoncer que tout est fini entre nous ? Ou est-ce que j'interprète mal ses paroles ?

Avant que j'aie pu en dire plus, elle se détourne et repart vers la maison. Je reste assis sur les marches de la roulotte, avec la lune et les étoiles pour seule compagnie.

7

Bien que la scène soit très réaliste, je sais que je suis en train de rêver. Je suis un voyageur du temps, témoin invisible du passé qui se déroule devant moi...

Je me tiens sur le quai bondé d'une petite gare de province. Des gens attendent le train : beaucoup d'hommes en uniforme, à peine sortis de l'enfance pour certains, chargés de paquetage, le visage inquiet, les cheveux rasés de près. Ils sont entourés de leurs familles qui parlent à toute vitesse, les serrent trop fort dans leurs bras, promettent de leur écrire et de prier pour eux, répètent que «Ce sera fini d'ici Noël».

Je me concentre sur un jeune homme qui ne doit pas avoir plus de dix-huit ans et dont les yeux brillent du désir de l'aventure. Son uniforme est encore raide, comme s'il venait de l'enfiler pour la première fois. La veste est identique, en plus neuve, à celle que je porte habituellement. Il est accompagné d'une fille en robe bleue coiffée à la mode des années quarante. *Ses yeux verts sont pleins de larmes. Elle me rappelle quelqu'un, alors que je suis sûr de ne l'avoir jamais vue.*

Soudain, un épais nuage de vapeur envahit le quai qui résonne d'un bruit assourdissant. Le train vient d'entrer en gare. La fille se jette au cou de son compagnon et s'accroche à lui, refusant de le laisser partir.

— Ne me laisse pas, James, supplie-t-elle. S'il te plaît! J'ai tellement peur!

— Ne t'inquiète pas, Ellie. Je serai bientôt de retour, c'est promis! Et je t'écrirai!

Le train se remet en mouvement. Le jeune homme jette son sac à l'intérieur et saute à bord juste à temps. Il se penche par la fenêtre, agitant la main jusqu'à être hors de vue. La fille continue à secouer son mouchoir longtemps après que le train a disparu. Quand elle baisse enfin les yeux, elle s'aperçoit qu'elle est seule sur le quai à l'exception d'un oiseau qui virevolte autour d'elle. Elle le contemple un instant, souriant entre ses larmes, et tend la main vers lui. Le cœur lourd, je regarde le petit volatile se poser sur sa paume, ébouriffer ses plumes puis déployer ses ailes.

Je suis réveillé tard dans la matinée par un léger coup à la porte de la roulotte.

— Jamie? demande Skye d'une voix hésitante. Tu dors?

Je sors de mon lit, déjà tout habillé, et attrape ma

veste avant de lui ouvrir. Je me sens encore triste, comme s'il venait de se produire quelque chose de terrible. C'est la première fois qu'un rêve me fait autant d'effet. Est-ce parce que je redoute ma confrontation avec Skye ? Quelqu'un aurait-il versé de l'alcool dans mon verre à mon insu ? À moins qu'en cette nuit d'Halloween, une fenêtre se soit exceptionnellement ouverte sur le passé ? Ou est-ce simplement mon imagination qui me joue des tours ?

– Salut, je murmure.

Je m'assieds à côté de Skye sur les marches et enfonce mes pieds nus dans l'herbe fraîche avant d'ajouter :

– Je crois que j'ai eu une panne d'oreiller.

Elle me tend une pomme et un cupcake un peu écrasé.

– Petit-déj ? Il ne restait plus grand-chose… la cuisine est un vrai chantier. Maman, Paddy, ta mère et les gens de la télé sont descendus au Chapelier Fou pour prendre un brunch. Apparemment, ils ont décidé de proposer leur projet à la BBC. Flippant, non ?

– Au contraire, c'est cool. Si ça se fait, vous pourrez compter sur maman pour que les choses se passent bien.

Je croque dans ma pomme en repensant à l'oiseau de mon rêve. Peu à peu, ma tristesse s'envole, laissant derrière elle un sentiment d'espoir et de liberté. Je n'ai pas eu le cœur aussi léger depuis des mois.

– J'ai fait un rêve très bizarre la nuit dernière. Bizarre et un peu effrayant. On aurait dit que j'avais remonté le temps. À ton avis, c'est possible ?

– Raconte.

Je lui parle alors de la gare, du soldat et de la fille aux yeux verts qui ne voulait pas le laisser partir à la guerre.

– Tu crois qu'il a fini par rentrer chez lui ? me demande Skye. Que leur histoire s'est bien terminée ?

– Je ne sais pas. Mais d'après ce que j'ai ressenti, je dirais que non. Il y avait aussi un petit oiseau brun.

– Hé, voleur ! me taquine-t-elle. Comme dans mon rêve à moi ! Qu'est-ce qu'il faisait ?

Sans répondre, je le revois se poser doucement dans la main de la jeune fille. Au bout d'un moment, je reprends :

– L'année dernière, on a passé un été super, pas vrai ? Je n'avais jamais rencontré quelqu'un comme toi. C'était magique. Inoubliable.

– Oui, pour moi aussi.

– Mais… la distance complique un peu les choses. Je ne suis pas très doué pour les coups de fil et les textos ; j'oublie souvent de répondre. Parfois, je me demande si…

Skye met sa main sur la mienne et m'encourage à continuer :

– Tu te demandes si quoi ?

– J'ai rencontré une des tes amies, hier soir. Mrs Lee, celle qui travaille à la poste. Elle m'a lu les lignes de la main et a déclaré que je ne faisais pas partie de ton avenir.

– Je crois qu'on s'en doutait déjà tous les deux, répond-elle d'une voix douce.

– Ah bon ?

– Il y a longtemps que je t'ai senti t'éloigner. Tu ne m'écrivais plus, tu ne m'envoyais plus de messages, tu ne m'appelais plus. Quand tu as décliné mon invitation à Tanglewood cet été, j'ai commencé à penser que tu avais rencontré quelqu'un d'autre.

Puis-je tout lui avouer à voix haute ? En aurai-je le courage ?

– Tu as vu juste. Je n'avais rien prémédité, mais... c'est arrivé. Elle s'appelle Ellie, et je tiens beaucoup à elle. Je suis désolé, Skye. J'ai essayé de t'en parler, mais je ne savais pas comment m'y prendre. Je crois que le moment est venu de nous séparer.

– Merci de ta franchise. Pour tout te dire, j'ai moi aussi quelqu'un d'autre en tête. On ne sort pas encore ensemble, mais ça ne devrait plus tarder maintenant que je sais où j'en suis. Il s'appelle Matt.

Je fronce les sourcils, un peu perdu, avant d'éclater de rire devant l'absurdité de cette situation. Skye se joint à moi. La gêne et la culpabilité ont disparu, cédant la place à des liens d'amitié sincères et solides.

– J'ai été nul. J'aurais dû être honnête avec toi dès le début.

– Je m'en doutais un peu. Ne t'inquiète pas. Les choses finissent toujours par s'arranger...

– Je l'espère.

Ce soir-là, de retour à Londres, j'envoie un texto à Ellie.

Devine quoi : je suis célibataire. Ça te dirait qu'on se voit un de ces jours ?

Elle me répond quelques instants plus tard :

Rendez-vous dans une demi-heure à l'aire de jeux.

J'arrive avec dix minutes d'avance, les cheveux savamment ébouriffés, après avoir enfilé mon plus beau jean noir et mes Converse rouges. Je m'assieds sur le tourniquet pour attendre Ellie. Quand elle apparaît au loin, je tente de l'imaginer avec une coiffure rétro et une robe bleue, agitant son mouchoir sur le quai d'une gare et serrant un petit oiseau entre ses mains.

– Salut, dit-elle en me rejoignant d'un bond. Alors, ça y est ? Tu as rompu avec Skye ?

– Oui, comme j'aurais dû le faire depuis des mois. Une question, Ellie... ça va te paraître bizarre, mais comment s'appelait ta grand-mère ?

– Sarah. Enfin, celle du côté de mon père. Et ma grand-mère maternelle, Louise.

– Ton arrière-grand-mère devait être adolescente pendant la guerre, non ? Est-ce que par hasard son amoureux se serait engagé ?

– Oui, et il n'est jamais revenu. C'est l'histoire de mon arrière-grand-mère Eleanor. On m'a donné ce prénom en son honneur. Qui t'en a parlé ?

– Je ne sais pas, tu as dû le mentionner un jour en passant...

– Ah bon ?

Je repense à mon rêve, à la fille aux yeux verts et au jeune homme qui partait à la guerre. Leur amour aurait-il traversé les années pour se donner une nouvelle chance, ou est-ce que mon séjour à Tanglewood a rendu mon imagination trop fertile ? Je ne le saurai sans doute jamais.

Ellie me pousse du coude.

– Tu portes encore cette affreuse veste !

– C'est ma préférée. Je l'adore. Elle a une histoire... heureuse ou triste, mais oubliée.

– Au fond, moi aussi, je l'aime bien. Elle est plutôt cool. Mais j'avais peur que tu prennes la grosse tête si je te faisais des compliments.

– Moi ? Aucun risque !

Ellie éclate de rire, ce rire que j'aime tant.

Je pousse le tourniquet de toutes mes forces et passe mon bras autour de ses épaules.

– Ces derniers mois, je n'ai vraiment pas été juste

avec toi. Désormais, je te promets que les choses vont changer. Je me suis demandé ce qui comptait le plus pour moi, et la réponse est : toi, Ellie. Tu veux bien qu'on reprenne tout depuis le début ?

– Bien sûr. Sans culpabilité, disputes ni mensonges, cette fois.

Elle se penche pour m'embrasser, un premier baiser – ou presque – tendre et plein de promesses. J'ai une petite pensée pour Skye. J'espère que son nouvel amoureux sera à la hauteur et qu'il la rendra heureuse.

Au-dessus de nous, la lune et les étoiles scintillent dans le ciel éclairé par le halo orange de la ville.

Près du cœur

1

*n*ous ne sommes plus qu'à une heure de route de Tanglewood quand le ciel prend la couleur d'un vilain hématome violet parsemé de taches jaunes. Les nuages semblent suspendus à quelques centimètres au-dessus de nos têtes, comme un rideau s'apprêtant à tomber à la fin d'un spectacle interminable. Cela fait déjà quatre heures que nous roulons, maman, ma petite sœur Jasmine et moi.

— Il fait drôlement sombre, se plaint Jasmine depuis la banquette arrière en me tendant la pièce en chocolat qu'elle vient de trouver au fond d'un bas de Noël. Quelle heure est-il, Stevie ? Est-ce qu'on va être en retard pour la fête ?

— À peine 15 heures, je réponds en ouvrant l'emballage doré. Détends-toi ; on a largement le temps, même si on dirait qu'une tempête se prépare.

— La météo annonçait d'importantes chutes de neige dans l'ouest du pays, confirme maman, les sourcils froncés. Ne vous inquiétez pas, les enfants, on arrive.

– De la neige ! s'extasie Jasmine. J'espère qu'il y en aura assez pour qu'on puisse faire de la luge et des batailles ! Peut-être qu'on ne pourra plus repartir et qu'on devra rester vivre à Tanglewood.

J'éclate de rire. Ma petite sœur est tellement prévisible. Elle ne s'est jamais vraiment intégrée dans sa nouvelle école à Kendal. Certains élèves la malmènent un peu, et même si elle est plus coriace qu'elle n'en a l'air, elle ne mérite pas de supporter encore ça.

Jasmine se plaisait beaucoup dans le Somerset, mais c'est aussi là qu'elle a perdu toute confiance en elle à cause d'une brute nommée James Seddon. C'était le copain de maman. Au début, il nous avait paru gentil. En réalité, il maltraitait ses animaux, se montrait froid envers ses amis et n'hésitait pas à lever la main sur nous. Alors que nous étions censés former une famille, il nous répétait sans cesse que nous ne valions rien.

À force, j'avais presque fini par m'en convaincre, tout comme ma mère et ma sœur.

Récemment, j'ai appris par mon amie Coco que Seddon avait quitté la région. Il a vendu sa propriété pour rejoindre son frère au Canada. Après ce qu'il nous a infligé, je préférerais le savoir en prison – mais c'est déjà ça. Maintenant qu'un océan nous sépare, je peux enfin respirer librement.

À genoux dans la boue, je me débats avec la laisse de Sheba, la chienne efflanquée, qui gémit sourdement.

– Dépêche-toi, Stevie! murmure Coco. Vite!

Soudain, un projecteur s'allume devant la maison et un coup de fusil retentit. Coco recule dans l'ombre, entraînant avec elle les poneys que nous sommes venus sauver. Seddon s'approche de moi à grands pas, son arme à la main.

– Stevie? hurle-t-il. C'est toi, sale vaurien? Je t'ai déjà dit de laisser cette bête tranquille! C'est un chien de garde, pas un animal de compagnie.

Je parviens enfin à détacher le collier de Sheba et me mets à courir dans l'espoir d'échapper à Seddon. Trop tard. Il me retient par le bras et me projette au sol. J'entends maman et Jas crier mon nom près de la maison. Lorsque que je réussis à me relever, Seddon m'envoie valser contre le mur de l'écurie. Une douleur aiguë me transperce le bras. Je ne le vois pas frapper ma mère, mais je perçois le claquement de sa main dans le noir...

Je frissonne à ce souvenir. C'était la dernière fois que j'ai vu cette ordure dont je suis bien content d'être débarrassé. Seddon était un tyran et un manipulateur. Il nous avait tous séduits par ses airs enjôleurs et ses promesses de nouveau départ. Nous le trouvions formidable... jusqu'à ce nous découvrions sa vraie nature.

Aujourd'hui, couchée sur une couverture aux pieds de Jasmine, Sheba tente de fourrer son nez dans le sachet de pièces en chocolat. Maman, Jas et moi l'avons emmenée lorsque nous sommes allés vivre chez ma grand-mère. Elle a repris du poids, son poil est devenu lisse et brillant, et il n'y a pas un chien dans tout l'hémisphère Nord qui puisse agiter la queue plus vite qu'elle. Quand on la voit, on ne devinerait jamais qu'elle a été maltraitée. Normalement, les animaux sont censés voyager dans une caisse ou être attachés par un harnais. Mais à cause de ce qu'elle a vécu, ce genre de chose la terrorise, et nous n'avons pas le cœur de l'y forcer.

– Maman? reprend Jas. On arrive bientôt? J'aurais voulu dire bonjour à Coconut avant qu'il fasse nuit!

– Oui, bientôt… Vers 16 heures, je pense, juste à temps pour le goûter. Ne t'en fais pas, tu la verras, ta Coconut!

Elles parlent de la ponette que Seddon avait offerte à Jasmine pour son anniversaire. En fait, c'était surtout une excuse pour tyranniser ma sœur et passer sa colère sur un animal. Il avait décrété qu'il la materait comme il nous avait matés. J'ai pris soin d'elle et d'une autre femelle de mon mieux, jusqu'à ce que Coco intervienne et m'aide à les kidnapper afin de les mettre à l'abri. C'est ainsi que nous nous sommes rapprochés. Au début, je la trouvais autoritaire et insupportable... alors qu'en réalité, c'est une fille géniale.

C'est ma meilleure amie – ou du moins, elle l'était avant que nous partions nous installer à Kendal. Elle me manque. À la fin de notre séjour à Tanglewood, je commençais même à en pincer pour elle. Mais plus d'un an s'est écoulé depuis, et je me demande si j'éprouverai toujours le même sentiment en la revoyant.

Si c'est le cas, comment vais-je réagir? Je ne suis pas franchement réputé pour mon esprit, mon charme ou mes talents de séducteur. Coco va sans doute m'ignorer et poursuivre son chemin.

Pour en revenir à Coconut, les choses se sont compliquées lorsque nous avons décidé d'aller vivre chez mamie. Nous ne pouvions pas débarquer avec un poney et un chien à moitié affamé alors qu'elle n'avait même pas de jardin! Elle nous a autorisés à garder Sheba, et nous avons dû laisser Coconut à Tanglewood. J'adore ma grand-mère, mais je crois qu'elle sera soulagée le jour où maman gagnera assez pour louer un petit appartement. Bien sûr, elle ne l'avouerait pour rien au monde, d'autant que ce n'est pas près d'arriver. Le boulot de serveuse de maman permet à peine de nous nourrir.

En attendant, Coco s'occupe donc de Coconut à notre place. Elle envoie régulièrement des photos à Jas, qui meurt d'envie de revoir sa ponette.

Aujourd'hui, elle semble sur le point d'exploser tant elle excitée.

– Je vois la mer! s'écrie-t-elle tout à coup.

Nous nous redressons pour apercevoir la côte sauvage du Somerset qui se dessine à l'horizon. La mer est gris foncé sous le ciel de plomb. Quelques minutes plus tard, nous nous engageons dans une allée étroite et sinueuse qui grimpe à flanc de colline. Enfin, nous atteignons le portail rouillé qui marque l'entrée de Tanglewood. C'est une grande villa un peu décrépie dotée d'une tourelle et de fenêtres à petits carreaux, décorées pour les fêtes de guirlandes lumineuses et de flocons en papier. À l'automne de l'année dernière, nous y avons vécu quelque temps après nous être enfuis de chez Seddon.

La voiture ralentit dans un crissement de graviers. Avant même que nous soyons garés, la porte de la cuisine s'ouvre à la volée et une bande de filles nous entoure en riant. Nous nous extirpons de nos sièges, le corps engourdi par les longues heures de route. Jasmine, soudain intimidée, se cache derrière moi. Mais quand les cinq sœurs – Cherry, Skye, Summer, Honey et Coco – la serrent dans leurs bras, la prennent par la main et l'entraînent, son visage s'illumine pour la première fois depuis longtemps.

Je jette un regard en coin à Coco, qui a désormais treize ans, comme moi. Bien qu'elle soit vêtue de sa tenue habituelle composée d'un jean slim et d'un sweat-shirt informe, elle paraît plus âgée, plus cool et plus distante qu'autrefois.

– Sandy, Stevie, Jasmine... vous voilà enfin ! s'exclame Charlotte, la mère de Coco, en embrassant la mienne. Le voyage s'est bien passé ? On est ravis que vous ayez fait tout ce chemin pour venir chez nous ! J'ai de la soupe au chaud, si vous avez faim...

Paddy, son mari, apparaît à la porte de la chocolaterie, le sourire aux lèvres. Nous nous dépêchons de rentrer dans la maison, car il fait bien trop froid pour discuter dehors en ce 31 décembre.

– Contente de te voir, Stevie ! lance Coco en m'emboîtant le pas. Ça fait une éternité !

– C'est clair. Tu devais avoir du mal à te rappeler ma tête.

– Aucun risque ! Et quelque chose me dit que ces deux-là ne se sont pas oubliés non plus.

Sheba se faufile entre nos jambes pour rejoindre Fred, le chien des Tanberry-Costello, avec qui elle commence à s'agiter dans un concours endiablé de remuage de queue.

J'ai l'impression qu'on m'ôte des épaules un poids dont je n'avais pas conscience jusque-là. C'est bon d'être de retour dans le Somerset et de retrouver Coco. De l'eau a coulé sous les ponts depuis les aventures que nous avons partagées, et la perspective de nos retrouvailles m'inquiétait un peu. Mais il n'y a finalement aucune gêne entre nous.

C'est alors que les premiers flocons commencent à tomber. Coco et moi échangeons un regard, éclatons de rire et, d'un même mouvement, levons nos visages vers le ciel.

2

nous sommes assis autour de la grande table en pin de Tanglewood, devant des assiettes de soupe brûlante accompagnée de pain frais. J'ai l'impression d'avoir remonté le temps, comme si l'année qui vient de s'écouler n'avait pas existé et que nous vivions encore ici, au milieu de cette famille un peu folle. Les deux semaines passées en leur compagnie ont été les plus belles de notre vie dans le Somerset. Alors que nous aurions pu nous retrouver à la rue, Coco et les siens nous avaient accueillis à bras ouverts.

Maman en avait profité pour donner un coup de main à Charlotte et Paddy, qui venaient de recevoir une grosse commande de chocolats. Pendant ce temps, Jas et moi tentions de nous remettre de nos émotions. Éclats de rire, brouhaha, longues heures de travail et soirées DVD sur les canapés en velours bleu du salon... voilà les souvenirs que je garde de notre passage à Tanglewood. Ça, et Coco jouant du violon dans le vieux chêne avec son duffel-coat et ses mitaines. Malgré ses fausses notes, je ne me lassais jamais de l'écouter. En résumé, tout ce qu'elle faisait me semblait cool.

– Si vous avez fini de manger, je pourrais préparer du chocolat chaud, propose Honey, la sœur aînée de Coco. Avec de la crème fouettée et des marshmallows. Je crois me rappeler que Jasmine adore ça, pas vrai ?

– Oh oui ! s'exclame ma petite sœur. Avec des vermicelles en chocolat ?

– Évidemment.

Honey verse du lait dans une casserole et se met à râper les restes de l'atelier.

– On devrait faire breveter cette recette, déclare Charlotte. C'est un vrai délice. Bon, et quand vous serez bien réchauffés, n'oubliez pas qu'on a une fête à préparer !

– Maman a dit à la moitié du village de venir, comme d'habitude, me glisse Coco. Mais vous serez les invités d'honneur. Je n'arrive pas à réaliser que vous soyez là !

– Moi non plus ! Ça me fait tout drôle.

– Je suis trop contente, murmure Jasmine, des étoiles plein les yeux. Je peux voir Coconut, maintenant ? Tu crois qu'elle va se souvenir de moi ?

– Ne t'inquiète pas, la rassure Coco. Je lui parle tout le temps de toi… On va y aller dès que tu auras bu ton chocolat.

– Et demain, vous pourrez peut-être faire une balade avec elle, suggère Charlotte. Coconut est beaucoup plus calme qu'autrefois. Enfin, ça va dépendre de la météo…

Derrière la fenêtre, la neige tombe toujours en tourbillonnant. Je commente :

– On dirait que c'est parti pour durer. J'espère que ça ne va pas gâcher la fête…

– Ce ne sont pas quelques flocons qui vont décourager nos invités, affirme Skye. Nos réveillons sont très réputés ! Et puis, à la campagne, on est habitués à la neige !

– On est tout près du village, me rappelle Paddy. Même si la route est enneigée, les gens pourront monter à pied. Et dans le pire des cas, on se contentera de vous ! On est tellement heureux de vous revoir. Vous nous avez manqué !

– Vous aussi, soupire maman. On s'est souvent demandé comment vous alliez. Depuis peu, on trouve vos chocolats dans une épicerie fine du centre-ville. Les affaires ont l'air de marcher !

– Oui, plutôt bien, confirme Paddy. Un grand magasin a décidé de distribuer notre marque dans toutes ses succursales, et on reçoit pas mal de commandes de petites boutiques. On a même commencé à engranger des bénéfices, tu te rends compte ?

– Génial ! se réjouit maman.

Coco fait tourner la casserole de chocolat chaud, et le silence s'installe pendant que nous trempons des marshmallows fondants dans le mélange riche et crémeux.

– Oh, et on va passer à la télé ! s'écrie brusquement Coco. Pas vrai ? Il va y avoir une émission de télé-réalité sur nous !

– Oui, c'est une idée de la mère de Jamie, précise Skye. Ça va être chouette…

– Une émission de télé-réalité ? je répète, amusé. Alors ça y est, vous êtes des stars ?

– Non, pas tout à fait, temporise Coco. Enfin, *pas encore.*

– Est-ce qu'on verra Coconut à la télé ? demande Jasmine. Elle aussi, elle mérite d'être célèbre !

– Bien sûr, ce sera la vedette de l'émission. En parlant d'elle, tu es prête à aller la voir ? Tu devrais venir aussi, Stevie. Elle n'a pas oublié que tu m'as aidée à la sauver !

Nous attrapons nos manteaux et traversons l'allée recouverte d'une couche de neige fraîche.

– Ça ne va pas tarder à être le bazar à la maison, avec les préparatifs de la fête, déclare Coco en ouvrant la porte de l'écurie. On sera mieux ici !

Dans la pénombre, je distingue une silhouette solide et trapue au fond d'un box. Puis un bêlement s'élève, et je sens quelque chose se frotter contre mes jambes.

– Joyeux Noël! je m'exclame en riant. Je t'avais oubliée, toi!

La brebis apprivoisée de Coco me réclame des caresses. Une fois la lumière allumée, je peux enfin admirer la ponette Exmoor à la robe rugueuse qui m'a permis d'apprendre à connaître Coco. Coconut nous observe de ses grands yeux bruns puis s'approche pour nous renifler, Jasmine et moi. Son museau blanc est aussi doux que du velours.

– Elle se souvient de nous! se réjouit Jasmine en la prenant par le cou.

Je souris à Coco car, moi non plus, je n'ai rien oublié.

3

asmine est aux anges. Coco lui montre comment étriller Coconut et brosser sa crinière. Ma petite sœur ne s'en lasse pas et entreprend même de tresser les longs crins du poney.

– Désolée de ne pas avoir donné beaucoup de nouvelles, s'excuse Coco. J'en avais l'intention, mais le temps passe tellement vite...

– Surtout quand on a le monde à sauver! je la taquine.

J'ai reçu une lettre de sa part peu après notre déménagement. Depuis, elle m'a envoyé quelques messages sur Facebook, mais, tous les deux, on n'est pas très doués pour garder le contact. Lorsque je pense à elle, je l'imagine toujours chevauchant Coconut dans les collines ou brandissant une pancarte pour la défense des baleines... elle n'est pas du genre à rester des heures assise à son bureau.

– Ne t'inquiète pas, Coco, je réponds. Je n'ai pas fait

mieux. Et ça ne nous empêche pas de nous retrouver aujourd'hui !

Elle se laisse tomber sur une meule de foin pendant que Jasmine bichonne la ponette. Un silence gêné s'installe entre nous. Je voudrais prendre la parole, mais je ne sais pas quoi dire. Je ne peux tout de même pas avouer à Coco que je la trouve encore plus mûre et plus jolie qu'avant. Ça sonnerait trop mièvre. À force d'hésiter, je finis par perdre confiance en moi et reste muet comme une carpe. Je m'assieds à mon tour dans la paille pour masquer mon embarras.

Coco me dévisage, et je me réjouis qu'il fasse plutôt sombre.

– Tu as grandi, déclare-t-elle, toujours aussi directe. Et je crois que je préférais ton ancienne coupe de cheveux.

– Le proviseur de mon nouveau collège est super strict. Mais je compte les laisser repousser.

– Vous êtes bien installés, à Kendal ? Vous ne prévoyez pas de revenir dans le coin, par hasard ?

– Maintenant que Seddon n'est plus là, ce serait possible. Le Somerset nous manque, surtout à Jas. Mais on n'est pas malheureux là-bas. Il faudrait juste que maman trouve un meilleur travail pour qu'on ait un appartement à nous au lieu d'habiter chez mes grands-parents. Sinon, au collège, ça va. Je me suis fait des copains.

– Et des copines ? s'enquiert Coco. Voire une *petite copine* ?

J'en reste sans voix. Avant de partir, je lui ai avoué mes sentiments, et elle m'a répondu qu'elle n'était pas prête pour ça. Aujourd'hui, je la trouve étonnamment curieuse au sujet de ma vie amoureuse – qui est inexistante.

– Non, personne. Pas le temps.

– Pareil pour moi. Tu me connais, je consacre ma vie à sauver le panda géant et le tigre blanc de Sibérie. Ça ne laisse pas beaucoup de place à l'amour.

Le silence revient. Coco essaie-t-elle de me dire que son avis sur la question a évolué ? Si c'est le cas, je me suis coupé l'herbe sous le pied. Comment les gens font-ils pour déclarer leurs sentiments ? C'est un vrai cauchemar ; j'ai l'impression d'avancer dans un champ de mines.

– Donc, vous allez rester à Kendal ? conclut Coco.

– Probable. Ils embauchent beaucoup là-bas, même si c'est souvent pour des emplois saisonniers mal payés. Mais d'un autre côté... le Somerset me manque. Et toi aussi, tu me manques. Il n'y a personne à Kendal qui sache me faire tourner en bourrique comme toi.

– Normal. Je suis unique.

Je continue un ton plus bas, les yeux dirigés vers ma petite sœur.

– C'est plus difficile pour Jas. Elle ne s'est pas bien intégrée dans son école. Certains élèves sont méchants avec elle. Et comme je suis au collège, je ne peux pas intervenir.

– Aïe. Ta mère est au courant?

– Jas m'a interdit de la prévenir de peur que ça aggrave les choses. Ça craint.

– Tu sais quoi, j'essaierai de lui parler demain. Ne t'inquiète pas, Stevie. Regarde-la: elle est au comble du bonheur!

– Elle adore Coconut. Ces vacances vont lui faire du bien. Et si elle pouvait se confier à toi... ce serait génial.

– C'est le Nouvel An, non? La saison des nouveaux départs. Tout est possible!

Je soupire. Je suis plus réaliste, et ça m'étonnerait que notre situation s'améliore de sitôt. Mais j'aime l'optimisme de Coco. Pendant un moment, on n'entend plus que Jasmine qui murmure à l'oreille du poney. Puis une voix résonne dans la nuit: Paddy nous appelle depuis la maison.

– Les enfants, où êtes-vous? Coco, Stevie, Jasmine, il est temps de rentrer – la fête va commencer!

À l'intérieur, maman est dans son élément: elle a pris les choses en main comme à l'époque où elle travaillait pour Charlotte et Paddy. Elle a toujours su donner le meilleur d'elle-même dans l'urgence. La maison est méconnaissable. Les lumières ont été remplacées par des guirlandes électriques et des petites bougies. Des branches de houx et de lierre sont accrochées un peu partout. Plusieurs tables ont été assemblées pour former un buffet couvert de nourriture : salade de pâtes, coleslaw, houmous et pain croustillant côtoient du gâteau, de la bûche et des plateaux de tartelettes de Noël et de cupcakes. Des pizzas, des quiches et des saucisses attendent dans la cuisine, tandis que des pommes de terre cuisent au four et que des litres de soupe mijotent sur la cuisinière.

Honey est en train de préparer un cocktail sans alcool à base de limonade, de jus d'orange, de fruits frais et de glaçons pendant que Paddy s'occupe du vin chaud. Un parfum d'orange et d'épices flotte dans la pièce – le parfum des fêtes de fin d'année, auquel j'ai toujours trouvé quelque chose de magique.

Chez mes grands-parents, le réveillon se résume à du cake aux fruits recouvert d'un épais glaçage, des sandwichs à la dinde, des chocolats du supermarché et des émissions de Noël à la télé. À Tanglewood, c'est une autre histoire.

– Et les chiens ? je demande à Coco. Ils ne vont pas paniquer ?

– Fred a l'habitude de voir du monde. Sheba suivra sans doute son exemple, mais si jamais tu vois qu'elle stresse, préviens-moi. On les conduira à l'étage pour qu'ils soient tranquilles.

Cherry et son petit ami Shay s'occupent de la musique, un mélange de tubes à la mode et de vieux airs rétro réclamés par Charlotte et Paddy. Le copain de Summer, Tommy, est là lui aussi. Bientôt, nous faisons les pitres en musique tout en déposant des piles de gobelets en carton, des bols de cacahuètes et des chips sur les tables.

Puis une voiture se gare devant la maison ; nos premiers invités secouent leurs bottes pleines de neige et donnent leurs manteaux à Tommy pour qu'il les range dans une chambre. Le temps de servir quelques verres, la porte s'ouvre à nouveau sur une bande de villageois. Une deuxième voiture arrive, suivie de nombreuses autres. Shay monte le volume pendant que Summer et Skye font le tour de la pièce avec des plateaux. Tout le monde me tape dans le dos et me demande des nouvelles de la vie à Kendal.

4

e jette un œil à la pendule de la cuisine vers 21 h 30, en récupérant les manteaux d'un groupe de nouveaux arrivants. Ma sœur joue avec celles de Tommy. Je les regarde courir à travers la foule, ravi de voir Jas aussi détendue. Sheba suit Fred comme son ombre, mendie de la nourriture dans tous les coins et se réfugie de temps en temps dans l'escalier pour souffler un peu.

Quant à maman, elle rayonne. Elle parle horoscope et prédictions avec Mrs Lee, l'employée de la poste ; de la difficulté d'élever un adolescent avec les parents de Tommy ; et des dangers des sites de rencontre avec Matt, l'oncle de Shay. Les sites de rencontre ? Moi qui croyais qu'elle avait renoncé aux histoires d'amour après sa mauvaise expérience avec Seddon... Je ne comprends pas qu'on continue à rêver du prince charmant après la trentaine. À cet âge, on est officiellement vieux.

J'aide Coco, qui porte des bois de renne assortis aux miens, à servir des tartelettes toutes chaudes; je discute musique avec Shay; j'interroge Honey sur son séjour en Australie; puis je passe un long moment avec Joe, le propriétaire des terres qui entourent Tanglewood, passionné comme moi de chevaux de trait. Le temps file à une vitesse folle, et soudain, il est presque minuit. Skye et Summer distribuent des flocons en papier et des stylos argentés aux invités.

– Avant, on écrivait nos vœux sur des lanternes thaïlandaises qu'on lâchait à minuit, me confie Skye. Mais Coco a déclaré qu'elles n'étaient pas écologiques, je ne sais plus pour quelle raison. Je crois que les moutons les mangent, ou qu'elles risquent de mettre le feu aux arbres. Bref, on a dû chercher une autre idée.

– On ira jeter les flocons dans la mer demain matin, enchaîne Summer. En descendant, la marée les emportera vers le large…

– Et nos vœux se réaliseront! conclut sa jumelle. Enfin, espérons-le.

Je ne suis pas certain que ce soit aussi simple, mais cela ne m'empêche pas de croiser les doigts pour que mes souhaits soient exaucés. J'ai noté trois choses: que maman trouve du travail, qu'on ait un appartement à nous, et que Jasmine soit heureuse à l'école.

– Tu n'as rien demandé pour toi, s'étonne Summer

en lisant par-dessus mon épaule. Tu t'inquiètes beaucoup trop pour les autres. Toi aussi, tu as le droit de rêver.

– Moi, ça va. Je n'ai pas besoin de grand-chose.

Mes yeux se posent sur Coco et ses bois de renne. Je souris malgré moi, prêt à parier qu'elle a mentionné Greenpeace, les pandas ou le réchauffement climatique sur son propre flocon.

C'est alors que la musique s'éteint brusquement: Paddy nous annonce que minuit va sonner et nous dit de sortir devant la maison.

– Sortir? je répète. Sous la neige? On va geler!

– C'est la tradition, décrète Skye. Allez, Stevie, habille-toi!

Tout le monde se dirige vers la porte dans un énorme brouhaha, récupérant au passage les manteaux et les écharpes que Tommy et Shay sont allés chercher. Il ne neige plus; la nuit est calme. Paddy lance le compte à rebours, à la fin duquel nous nous écrions en chœur: «Bonne année!» Puis, à ma grande surprise, les invités croisent les bras en se donnant la main. Coco apparaît à mes côtés et m'explique qu'il s'agit d'une tradition écossaise que la famille a adoptée lorsque Paddy et Cherry sont arrivés de Glasgow. Et nous nous balançons de droite à gauche en entonnant l'hymne écossais, «Auld Lang Syne», dont personne ne comprend vraiment les paroles. C'est un moment plutôt chouette, même si mon voisin chante horriblement faux et n'arrête pas de m'écraser les pieds avec ses après-skis.

À la fin de la chanson, je m'aperçois avec horreur que tout le monde commence à s'embrasser. J'ai toujours détesté ça. Je rêve de me téléporter très loin de là, jusqu'à ce que Coco passe ses bras autour de mon cou et dépose un gros baiser maladroit sur mon oreille. Je panique. Suis-je censé l'imiter ? Si oui, dois-je viser la joue, l'oreille ou… la bouche ? Je n'ai pas le temps de me décider qu'elle s'écarte déjà ; je me contente donc d'un câlin de ma mère et d'un bisou baveux de Jas, qui repart aussitôt jouer avec ses copines.

À mes pieds, Sheba grelotte de froid. Je tire Coco par la manche et lui propose de rentrer.

– Avec plaisir, répond-elle. Je suis frigorifiée.

Au même instant, une fusée grimpe vers le ciel avant d'exploser en une gerbe d'étincelles rouges, bleues et vertes. Autour de nous, les invités poussent des hourras. Sheba se recroqueville contre mes jambes. J'explique à Coco :

– Elle a peur des pétards. Je vais la ramener à l'intérieur.

– Fred a déjà filé. Lui aussi, il déteste les feux d'artifice. Je me demande qui a eu cette idée. D'habitude, on n'en fait jamais. Si j'avais su, j'aurais mis les chiens à l'abri. Suis-moi.

Nous sommes à mi-chemin de la maison quand une succession d'explosions assourdissantes déchire le ciel. Tout le monde applaudit, mais Sheba perd ses moyens. Elle pile brusquement et parvient à se dégager de son collier, que je tenais pourtant bien serré. Aussitôt, elle détale dans l'allée.

– Sheba! je crie – mais le bruit du feu d'artifice couvre ma voix. Sheba! Reviens!

Je me mets à courir. Pas de chienne en vue.

Coco me rattrape.

– Au moins, on peut suivre ses empreintes dans la neige.

– Elle a dû chercher un endroit plus calme où se réfugier.

Coco me prend la main, et nous nous élançons ensemble vers la forêt.

5

—**S**heba! appelle Coco dans le noir. Où es-tu?
Sheba?

– Il faut qu'on la rattrape. Ce n'est pas
chez elle, ici; elle ne saura pas rentrer toute seule.
Si on la perd, Jas sera bouleversée…

Et moi aussi. Nous grimpons la colline d'un pas plus
lent, à cause de la poudreuse qui entrave notre pro-
gression. Au bout d'un moment, les empreintes de
pattes disparaissent dans un bosquet. Mon cœur
se serre.

– On ne la retrouvera jamais!

– Bien sûr que si, me rassure mon amie. J'ai l'impression que ce fichu feu d'artifice est enfin terminé.
Sheba va se calmer. Elle va revenir, Stevie.

Nous traversons un fossé et nous enfonçons entre
les arbres. La couche de neige est moins épaisse à cet
endroit, mais le sol irrégulier nous empêche de courir. Coco utilise l'application lampe-torche de son

téléphone pour éclairer le chemin. Plus nous avançons, moins il y a de neige, et la piste s'efface bientôt complètement.

– On est où ?

– Aucune idée, répond Coco dans un nuage de buée. La forêt longe la côte sur des kilomètres. Si on marche assez longtemps, on peut même atteindre les grottes des contrebandiers. Ce n'est pas vraiment l'idéal pour une balade en pleine nuit…

Je serre les poings.

– Tant pis. Je ne ferai pas demi-tour. Je ne peux pas. C'est ma faute… j'ai perdu notre chienne.

– N'importe quoi. Personne n'est responsable, Stevie. Pas même ceux qui ont tiré le feu d'artifice. J'ai l'impression que c'étaient Tommy et son oncle ; toute la soirée, ils ont eu l'air de mijoter quelque chose. Ils voulaient sans doute nous faire une belle surprise, sans penser que les chiens seraient terrorisés.

– Possible.

Tout à ma culpabilité et à ma colère, je prête à peine attention aux paroles de mon amie.

C'est le moment que choisit la batterie de son téléphone pour mourir. Nous nous retrouvons plongés dans le noir.

– Fichu portable ! peste Coco. Tu as le tien ?

– Non, je l'ai laissé dans mon sac. De toute façon, il ne fait pas lampe-torche. C'est un modèle très basique.

– On aurait dû appeler à la maison. Maman, Paddy et ta mère auraient su quoi faire. Les invités doivent être en train de partir ; ils vont se demander où on est.

– Je n'abandonnerai pas. Hors de question !

– Moi non plus.

À la lueur du clair de lune, je m'aperçois qu'elle frissonne. Son visage est livide, et ses lèvres bleues. Moi, j'ai les mains gelées et je claque des dents. Je prends soudain conscience qu'errer à l'aveuglette dans une forêt en bordure de falaise est une idée stupide et dangereuse.

– Sheba ! je crie une nouvelle fois. Où es-tu ?

Nous continuons d'un pas hésitant, à bout de souffle, le corps engourdi. Nos pieds dérapent sur la neige et se cognent dans des racines. Sheba pourrait être n'importe où. Elle est peut-être en train de se diriger vers un dangereux précipice. Je m'en veux tellement…

– Stevie ? dit Coco d'une petite voix. Je ne voudrais pas t'effrayer, mais je crois qu'on est perdus. On devrait faire une pause pour essayer de se repérer.

– Je ne rentrerai pas sans elle.

– Je sais. Moi non plus. Mais il faut trouver une solution, sans quoi on va mourir gelés dans cette forêt.

Des flocons descendent entre les arbres, doucement d'abord, puis de plus en plus vite. J'ai envie de pleurer, mais ce n'est pas le moment. Je dois rester fort.

– *Sheba!* je hurle à pleins poumons.

Cette fois, un craquement de brindilles et un bruissement de feuilles me répondent. Un espoir fou s'empare de moi, bientôt confirmé par l'apparition d'une silhouette haletante dans la clairière où nous sommes arrêtés.

– Sheba! Enfin, te voilà!

Je tombe à genoux et serre la chienne dans mes bras. Elle enfouit son museau dans mes cheveux pendant que je lui ébouriffe le poil. Coco s'accroupit près de nous et la caresse en lui murmurant des mots doux. Nos regards se croisent. Fou de joie, je souris et lui prends la main.

– On a réussi! Encore une fois, l'aventure se termine bien. On fait une bonne équipe, tu ne trouves pas?

Nous nous relevons péniblement tandis que Sheba reprend son souffle à nos pieds.

– Oui, une sacrée équipe! confirme Coco.

Au même instant, un hurlement surnaturel s'élève dans la nuit.

Un frisson me parcourt l'échine. Mon cœur bat à se rompre. Coco ouvre de grands yeux terrifiés. La chienne se blottit contre moi, morte de peur.

Le cri recommence, plus fort et plus effrayant qu'avant. Je n'ai rien entendu d'aussi horrible de toute ma vie.

6

– C'était quoi, ça ? chuchote Coco.

– On aurait dit un cri de douleur…

– Et si c'était un meurtre ? J'ai un mauvais pressentiment. Ça me donne la chair de poule !

– Quelqu'un s'est peut-être blessé en tombant. On devrait aller voir.

– Non ! Celui qui hurlait avait l'air terrorisé… On ne peut pas intervenir. Qui sait ce qu'on va trouver là-bas. Regarde Sheba ; elle non plus, elle ne le sent pas.

En effet, la chienne tremble comme une feuille contre mes jambes. Malgré tout, je fais un pas dans la direction d'où provenait le cri.

– Rentrons, me supplie Coco. Prévenons Paddy, appelons la police, allons chercher de l'aide ! Stevie, je t'en prie !

Sans l'écouter, je me mets à courir sur le sol enneigé, baissant la tête pour éviter les branches. Le cri s'est transformé en gémissement désespéré. J'ai vaguement conscience de Sheba qui trottine à mes côtés et de Coco qui me suit tant bien que mal.

Nous débouchons enfin dans une petite clairière.

– Je ne vois personne, souffle Coco en scrutant les silhouettes sombres qui nous entourent. Pourtant, le bruit avait l'air proche.

– Ohé? Il y a quelqu'un? Tout va bien? On vient vous aider!

Cette fois, j'ai l'impression d'entendre pleurer un animal à l'agonie.

– Ohé? je répète en m'avançant entre les arbres. Où êtes-vous? Ohé?

– Je ne suis pas sûre que ce soit un être humain, dit Coco.

Tout à coup, le clair de lune fait scintiller quelque chose près d'une touffe de fougères mortes. C'est un fil métallique relié à un piquet de bois. À côté, des gouttes de sang se détachent sur la neige autour d'une petite boule de fourrure rousse.

– Ooooh, je souffle. Un renard! Il est pris au piège!

Je suis partagé entre le soulagement et la consternation. Les cris des renards semblent parfois étrangement humains; quand je vivais à la ferme de Seddon, je les entendais souvent glapir dans les collines. À chaque fois, je croyais qu'une femme était en train de hurler, et cela me glaçait d'horreur.

– Non, non, non… se lamente mon amie, à genoux dans la neige. C'est insupportable, Stevie! Il faut qu'on l'aide!

– D'accord…

Je n'ai pas la moindre idée de comment m'y prendre. Je me laisse tomber près de Coco dans l'obscurité. Sheba halète doucement derrière nous.

La patte gauche de la petite bête est prise dans le collet. Plus elle se débat, plus le fil de fer se tend; la chair est déjà entamée jusqu'à l'os. Et pour couronner le tout, il semblerait qu'elle ait essayé de ronger son membre blessé dans une tentative désespérée pour se libérer. Elle a encore du sang sur les dents.

Les yeux du renard deviennent vitreux. Il ne doit plus en avoir pour très longtemps. Cette fois, je suis incapable de retenir mes larmes. Nous sommes arrivés trop tard.

Ce n'est pas comme ça que j'imaginais commencer la nouvelle année.

Je m'approche de l'animal, mais, à la seconde où mes doigts effleurent sa patte blessée, il bondit et se tord de douleur. Le collet se resserre, disparaissant presque sous la fourrure et le sang caillé.

– J'ai trouvé! s'écrie Coco. Il faut déterrer le piquet!

Elle a raison: dégagé de son ancrage, le piège s'ouvrira. Nous aurons alors peut-être une chance de sauver le renard.

À mains nues, je déblaie la neige qui entoure le pieu. C'est peine perdue : dessous, la terre est gelée. Mon amie aboutit à la même conclusion. Heureusement, Sheba semble comprendre ce qui se passe et vient à notre secours. Elle se met à gratter furieusement, faisant voler la neige et les mottes de terre. Bientôt, le piquet est suffisamment dégagé pour que nous puissions l'arracher.

– Ouf ! je souffle.

Mais quand je me tourne vers le renard, je m'aperçois qu'il a les yeux à demi fermés et les dents dévoilées par un horrible rictus.

– Il est encore en vie, me rassure Coco. Pour l'instant. On doit tout essayer, pas vrai ?

– Oui.

Je retire mon épais manteau de laine. Avec des gestes aussi rapides et délicats que possible, j'enveloppe l'animal à l'intérieur, ainsi que le câble métallique et le piquet. Mes mains couvertes de sang dégagent une odeur forte et musquée. Lorsque je le soulève dans mes bras, le renard pousse un gémissement à peine audible.

– Allons-y, je déclare. Il faut qu'on se dépêche de retrouver notre chemin avant qu'il soit trop tard.

– Je n'en suis pas sûre à cent pour cent, mais en prenant à gauche, on devrait tomber sur une route. Ce sera plus facile de sortir de la forêt par là.

Les arbres s'espacent de plus en plus, et nous finissons par distinguer une chaussée enneigée. Je suis complètement gelé ; mon corps est secoué de violents frissons, et je ne sens plus mes pieds. Le renard pèse lourd. Je ne sais pas combien de temps je pourrai tenir.

– OK, soupire Coco en regardant autour d'elle. On est bien sur la route principale, mais plus loin que je ne pensais. Il va nous falloir un bout de temps pour rentrer à Tanglewood. À moins qu'on aille dans l'autre direction...

– Comment ça ?

– C'est risqué, parce que je ne suis pas certaine qu'elle soit là. Elle s'est peut-être absentée pour les fêtes. Mais on ne sait jamais – on aura peut-être de la chance. Je parle d'une vétérinaire très gentille qui vit par là-bas. Elle s'appelle Sharon Denny. J'ai fait un stage d'observation chez elle l'été dernier. Son cabinet est à Minehead. Elle saura quoi faire...

– C'est loin ?

– Non. On peut y arriver. Courage !

Nous longeons la route jusqu'à ce qu'un petit cottage en granit surgisse dans la nuit. Il y a des guirlandes électriques aux fenêtres et une couronne de houx sur la porte. Devant, un 4x4 gris métallisé est garé sous une épaisse couche de neige.

Mon amie appuie sur la sonnette.

7

Sharon Denny n'a pas vraiment l'air surprise de nous voir, comme si elle était habituée à ce que des adolescents frigorifiés sonnent à sa porte en pleine tempête pendant la nuit du Nouvel An.

– Coco? Que se passe-t-il? demande-t-elle en se frottant les yeux.

– C'est une longue histoire, mais on a besoin de votre aide. Mon ami Stevie et moi, on s'est perdus dans les bois et on a trouvé un renard pris au piège.

– Montrez-le-moi.

Je pose mon manteau par terre dans la cuisine et l'ouvre doucement. Durant quelques secondes, je jurerais que l'animal est mort, jusqu'à ce qu'il tressaille et se débatte faiblement. Une bouffée d'espoir m'envahit. Il va peut-être s'en sortir.

– D'accord, dit la vétérinaire. Il a beaucoup de chance que le collet se soit refermé sur sa patte. Souvent, c'est au niveau de l'abdomen ou du cou…

Elle va chercher une sacoche en cuir dans laquelle elle attrape une seringue et un flacon, puis reprend :

– Je vais l'anesthésier afin d'inspecter sa plaie et de stopper l'hémorragie.

À peine a-t-elle planté son aiguille dans la fourrure que le renard se laisse aller, comme s'il nous autorisait à nous occuper de lui. Tandis que Sharon lui nettoie la patte, je l'interroge :

– Je croyais que les collets étaient interdits ?

– Malheureusement, non, m'informe Coco. Mais c'est la première fois que je vois un animal pris au piège.

Dire que cela aurait pu être Sheba...

– J'en ai vu passer quelques-uns au cabinet, nous confie la vétérinaire. Certains paysans du coin tentent de garder la population de renards sous contrôle. Je ne suis pas pour, mais ils en ont le droit.

– En tout cas, Joe Wallace ne ferait jamais une chose pareille, déclare Coco. C'est le propriétaire de la ferme près de chez moi.

– Lui, non, confirme Sharon. Mais d'autres considèrent les renards comme des nuisibles. Pour en revenir à celui-là, nous sommes confrontés à un dilemme. Il a dû rester pas mal de temps prisonnier et a perdu beaucoup de sang en essayant de se mutiler. Je ne pense pas pouvoir sauver sa patte. Or, un renard à trois pattes ne survit pas dans la nature. Désolée, Coco.

– Non! proteste celle-ci. Ne le laissez pas mourir! S'il vous plaît!

La vétérinaire soupire.

– Parfois, pour le bien de l'animal, la meilleure solution est l'euthanasie. Dans la forêt, c'est la loi du plus fort qui règne. Avec un tel handicap, cette petite bête ne tiendra pas longtemps. C'est d'abord à elle que nous devons penser.

– Mais les renards sont un peu comme des chiens sauvages, non? j'interviens. Ils peuvent sûrement être apprivoisés. On ne peut pas l'abandonner: je l'ai porté dans mes bras pendant des kilomètres!

– Je sais. Vous avez fait votre possible pour l'aider, mais quel avenir aura-t-il? Même si vous décidez de l'adopter, ce ne sera jamais un animal domestique. Le pari me semble risqué...

– Sauvez-le, je supplie d'une voix étranglée. S'il vous plaît!

– Tu es sûr de pouvoir lui offrir un foyer et de t'occuper correctement de lui?

J'ai envie de frapper sur les murs, de hurler et de tout casser. Comment puis-je accueillir un renard blessé alors que je n'ai même pas de vraie maison?

– Moi, je peux, intervient mon amie. Maman et Paddy seront d'accord, ça ne fait aucun doute. Ils paieront pour l'opération et les traitements. On n'aura qu'à transformer une partie des écuries en enclos pour qu'il soit en sécurité. S'il vous plaît, Sharon !

La vétérinaire finit par céder.

– C'est complètement dingue, mais d'accord : je vais essayer de le sauver. Il va falloir amputer cette patte, qui est vraiment dans un sale état. Ne vous inquiétez pas. Vous avez bon cœur... dommage qu'il n'y ait pas plus de gens comme vous.

Après, tout s'enchaîne très vite. Sharon téléphone aux urgences vétérinaires de Minehead et les prévient qu'elle leur amène un renard devant être opéré au plus tôt.

– Ça ne vous coûtera rien, nous informe-t-elle en enfilant son manteau et en se donnant un coup de peigne. Disons que ce sera ma bonne action pour commencer l'année...

8

Plus tard en ce 1ᵉʳ janvier, les sœurs Tanberry-Costello, Jasmine et moi descendons sur la plage en contrebas de Tanglewood afin de jeter dans les vagues les flocons en papier chargés de vœux.

J'en ai ajouté un nouveau sur le mien : que le petit renard survive et que nous puissions l'adopter.

– Le pire, c'est que je n'y crois même pas, je marmonne en regardant les formes blanches flotter sur l'eau.

– Tu n'en as pas besoin, dit Coco. Ce qui compte, c'est ce qui se passe dans ton cœur.

Je lève les yeux au ciel en souriant malgré moi. Je me trouve sur la plage avec la fille que je préfère au monde. Peu importe que nous habitions à des centaines de kilomètres l'un de l'autre. Nous nous comprenons à demi-mot, et il en sera toujours ainsi.

Finalement, il s'avère que Coco avait raison d'être

optimiste. Maman, Jas et moi avons souhaité des choses presque impossibles – une maison à nous, un bon travail, une école pleine d'amis, un renard à trois pattes... Et tout cela s'apprête à se réaliser.

Ce soir-là, alors que nous nous attablons autour d'un festin, Paddy se tourne vers maman.

– Sandy, nous aimerions te demander quelque chose. Tu es libre de refuser, mais il faut que je te pose la question...

– À vrai dire, c'est même une des raisons pour lesquelles nous vous avons invités, ajoute Charlotte. Bon, ne t'inquiète pas, c'est juste une idée que nous avons eue...

– Quoi ? s'impatiente maman. Allez-y, parlez !

Paddy se passe la main dans les cheveux.

– Maintenant que notre chiffre d'affaires est positif, nous souhaiterions engager un manager. Quelqu'un d'organisé, qui ne craigne pas la pression et s'y connaisse un peu en marketing et en relations publiques. Aucun des intérimaires que nous avons employés au cours de l'année n'a été aussi efficace que toi. Nous avons donc décidé de te proposer ce poste. Ce serait un réel plaisir de te compter parmi nous.

Maman n'en croit pas ses oreilles.

– Un poste à La Boîte de Chocolats ? répète-t-elle. Oh là là... ce serait le rêve ! Je ne me suis jamais sentie aussi utile qu'à l'époque où je travaillais pour vous. Mais d'un point de vue logistique, ça me paraît un peu compliqué.

Charlotte et Paddy rentrent alors davantage dans les détails, évoquant un salaire astronomique à côté de ce que maman gagne comme serveuse à Kendal.

– Ce serait un contrat à durée indéterminée, précise Paddy. Tu aurais enfin un emploi stable...

– Mais on n'a pas de maison, ici !

Charlotte balaie immédiatement cette objection.

– Il y en a plusieurs à louer au village. Vous aurez l'embarras du choix.

Maman a l'air un peu dépassée par les événements.

– Je dois reconnaître que ces quelques jours passés dans le Somerset m'ont fait réfléchir. Les enfants et moi avons toujours adoré cette région. Sans James, nous ne serions jamais repartis dans le nord. Je me demande d'ailleurs parfois si nous avons bien fait.

– Prends ton temps, lui conseille Charlotte. C'est une décision importante.

– Oui, il ne faut pas s'emballer ! s'exclame maman en riant. Je vais devoir vérifier certains points, peser le pour et le contre, consulter les enfants...

Je sais déjà ce que j'en pense, et le sourire ravi de Jasmine m'en dit suffisamment long.

– On est d'accord, je réplique aussitôt. Tu pourrais gagner ta vie en faisant quelque chose qui te plaît.

– Mais ça va être un sacré bouleversement! Déménager encore une fois à l'autre bout du pays, en plein milieu de l'année scolaire…

– Je m'en fiche.

– Et toi, Jasmine?

Ma petite sœur semble sur le point d'exploser de bonheur. On lui propose de quitter une école qu'elle déteste pour démarrer une nouvelle vie dans un endroit où elle a déjà des copines – les deux sœurs de Tommy –, à quelques centaines de mètres de sa ponette Coconut. Difficile de faire mieux!

– Dis oui, maman, murmure-t-elle. S'il te plaît, s'il te plaît, dis oui!

Nos vœux se réalisent. Après le travail, la maison et l'école… il ne manque plus que le renard à trois pattes.

Trois jours plus tard, Coco et moi rentrons en bus de Minehead, où nous sommes allés voir notre nouvel ami. Nous l'avons baptisé Fougère en souvenir du bois où nous l'avons trouvé. Il se remet tranquillement de son amputation dans le service réservé aux animaux sauvages de la clinique vétérinaire.

Sharon Denny nous a aidés à convaincre Charlotte et Paddy de transformer une partie des écuries pour accueillir notre renard. Bientôt, il va pouvoir lui aussi entamer une nouvelle vie. Et quand maman, Jasmine et moi aurons une maison, il pourra peut-être venir vivre avec nous. Il ne sera jamais apprivoisé comme un chien ou un chat, mais je suis sûr qu'avec le temps, nous parviendrons à tisser des liens.

Tout à l'heure, lorsque j'ai plongé mon regard dans ses yeux d'ambre, j'ai senti quelque chose se passer entre nous.

– Ça va aller, me promet Coco qui a dû lire dans mes pensées. Fougère. On va bien s'occuper de lui en attendant votre retour... et ensuite, on lui construira un enclos dans votre jardin.

– À moins qu'on trouve une maison qui en ait déjà un ! Ça, ce serait vraiment chouette !

Maman était censée reprendre le travail aujourd'hui, mais elle a téléphoné pour prévenir qu'elle était coincée dans le Somerset à cause de la neige. Cet après-midi, nous irons visiter des locations au village. Nous en choisirons une dont le propriétaire accepte les animaux – bien sûr, on évitera de lui parler du renard à trois pattes.

Demain, nous rentrerons en voiture à Kendal pour que maman donne sa démission et effectue son préavis. Nous en profiterons aussi pour faire nos cartons et dire au revoir à tout le monde, avant d'emménager dans notre nouvelle maison aux alentours du mois de février.

Le bus nous dépose dans la rue principale de Kitnor.

Main dans la main, Coco et moi gravissons la petite route qui mène à Tanglewood en faisant crisser la neige sous nos pas. Je repense au jour où je lui avais fait mes adieux dans le grand chêne. Quand j'avais voulu l'embrasser, elle avait pris peur, et nous avions décidé de rester de simples amis.

Si je retentais ma chance aujourd'hui, réagirait-elle de la même façon ?

Avant de m'engager dans l'allée de sa maison, je me tourne vers elle et lui prends les mains.

– C'était le meilleur réveillon du Nouvel An de toute ma vie, je lui avoue.

Avant même que je me penche vers elle, elle se dresse sur la pointe des pieds et pose ses lèvres sur les miennes. Elles sont douces, chaudes et légèrement chocolatées. Puis nous nous cognons le nez, et elle éclate de rire, ce qui n'empêche pas ce premier baiser d'être absolument parfait.

– Désolée, s'excuse-t-elle lorsque nous reprenons enfin notre souffle. Il va falloir qu'on s'entraîne…

– Avec plaisir.

Même si je n'y croyais pas, mes vœux du Nouvel An ont fini par se réaliser… bien au-delà de mes espérances.

Nous nous dépêchons de regagner Tanglewood sous la neige qui tombe en tourbillonnant.

Cherry Costello

❀

Timide, sage, toujours à l'écart
Elle a parfois du mal à distinguer le rêve
de la réalité
14 ans

Née à : Glasgow
Mère : Kiko
Père : Paddy

Allure : petite, mince, la peau café au lait,
les cheveux raides et noirs avec une frange,
elle a souvent deux petits chignons

Style : jeans moulants de toutes les couleurs,
tee-shirts à motifs japonais

Aime : rêver, les histoires, les fleurs de cerisier,
le soda, les roulottes

Trésors : kimono, ombrelle, éventail japonais,
une photo de sa mère

Rêve : faire partie d'une famille

Coco Tanberry

Chipie, sympa et pleine d'énergie
Elle adore l'aventure et la nature
12 ans

Née à : Kitnor
Mère : Charlotte
Père : Greg

Allure : cheveux blonds et bouclés,
coupés au carré et toujours en broussaille,
yeux bleus, taches de rousseur, grand sourire

Style : garçon manqué, jeans, tee-shirts,
elle est toujours débraillée et mal coiffée

Aime : les animaux, grimper aux arbres,
se baigner dans la mer

Trésors : Fred le chien et les canards

Rêve : avoir un lama, un âne et un perroquet

Skye Tanberry

Avenante, excentrique, indépendante
et pleine d'imagination
13 ans
Sœur jumelle de Summer

Née à : Kitnor
Mère : Charlotte
Père : Greg

Allure : cheveux blonds jusqu'aux épaules,
yeux bleus, grand sourire

Style : chapeaux et robes chinés
dans des friperies

Aime : l'histoire, l'astrologie, rêver et dessiner

Trésors : sa collection de robes vintage
et un fossile trouvé sur la plage

Rêve : voyager dans le temps pour voir
à quoi ressemblait vraiment le passé...

Summer Tanberry

Calme, sûre d'elle, jolie et populaire
Elle prend la danse très au sérieux
13 ans
Soeur jumelle de Skye

Née à : Kitnor
Mère : Charlotte
Père : Greg

Allure : longs cheveux blonds tressés
ou relevés en chignon de danseuse,
yeux bleus, gracieuse

Style : tout ce qui est rose...
Tenues de danseuse et vêtements à la mode,
elle est toujours très soignée

Aime : la danse, surtout la danse classique

Trésors : ses pointes et ses tutus

Rêve : devenir danseuse étoile,
puis monter sa propre école

Honey Tanberry

Lunatique, égoïste, souvent triste...
Elle adore les drames, mais elle sait aussi
se montrer intelligente, charmante,
organisée et très douce
15 ans

Née à : Londres
Mère : Charlotte
Père : Greg

Allure : cheveux blonds ondulés, yeux bleus,
peau laiteuse, grande et mince

Style : branché, robes imprimées, sandales,
shorts et tee-shirts

Aime : dessiner, peindre, la mode, la musique...

Trésors : son carnet à dessin
et sa chambre en haut de la tour

Rêve : devenir peintre, actrice
ou créatrice de mode

Les recettes au chocolat

Crème anglaise au poivre long

Il te faut :
25 cl de lait • 3 jaunes d'œufs • 60 g de sucre en poudre •
1/2 poivre long

1. Dans un saladier, mélange les jaunes d'œufs avec
le sucre, jusqu'à ce que la pâte obtenue blanchisse
légèrement.
2. Réduis le poivre long en petits morceaux et mets-le
dans une casserole avec le lait. Fais bouillir.
3. Verse le lait chaud sur le mélange jaune d'œufs
et sucre, remue bien, puis remets le tout dans
la casserole.
4. Fais cuire à feu moyen, en n'arrêtant jamais de
remuer. Retire la casserole du feu quand le mélange
a un peu épaissi (petite astuce: quand le mélange
commence à napper la cuillère, c'est bon!).
5. Filtre la crème à l'aide d'un chinois. Puis laisse-la
refroidir.

Et voilà, ta crème anglaise poivrée est prête! Tu peux
la servir seule... ou accompagnée d'un délicieux gâteau
au chocolat!

Le carrot cake de Jamie

Il te faut :

250 g de carottes • 150 g de farine • 120 g de cassonade • 10 cl de lait • 5 cl d'huile de tournesol • 2 œufs • 1 sachet de levure • 1 cuillerée à café de cannelle en poudre • 1 cuillerée à café de gingembre en poudre • 1 cuillerée à café de muscade en poudre

1. Préchauffe le four à 180 °C.
2. Épluche et râpe les carottes.
3. Dans un saladier, mélange la cassonade, la farine et les épices. Ajoute l'huile et les carottes râpées.
4. Dans un grand bol, bats les œufs entiers puis verse-les dans le saladier. Mélange bien le tout.
5. Beurre un moule à cake et verses-y la pâte.
6. Fais cuire pendant 40 minutes.

Le gâteau moelleux de Stevie

Il te faut :
**300 g de sucre en poudre • 180 g de farine • 6 œufs •
1 sachet de levure chimique**

1. Préchauffe le four à 180 °C.

2. Réserve un peu de sucre pour la préparation du moule.
Puis verse les œufs et le sucre dans un saladier posé
sur une casserole d'eau frémissante (attention à ne pas
te brûler !). Fouette doucement le mélange jusqu'à
ce qu'il mousse et blanchisse. Retire-le alors du feu.

3. Incorpore la farine et la levure au mélange,
par petites quantités, en soulevant la pâte doucement
à l'aide d'une spatule.

4. Beurre un moule à bords hauts, puis saupoudre-le
d'un peu de sucre. Verses-y la pâte.

5. Fais cuire pendant 20 à 30 minutes.

Astuce : pour savoir si la cuisson est bonne,
glisse une lame de couteau dans le gâteau :
elle doit ressortir sèche !

Conseils : sers le gâteau avec de la confiture, de la pâte
à tartiner ou une crème de ton choix !

Le frappé façon Coco

Il te faut (pour 2 personnes) :
1 mixeur • 2 verres de 30 cl • 25 cl de lait • 180 g de yaourt
nature • 150 g de fraises coupées en morceaux (ou d'un
autre fruit qui te plaît !) • 2 cuillères à soupe de noix
de coco râpée • 3 à 4 cuillères à soupe de sucre

1. Mixe le lait, le yaourt, les fruits coupés, la noix
de coco et le sucre jusqu'à ce que le mélange devienne
mousseux.
2. Verse le frappé dans les verres !

Quelle fille
au chocolat
es-tu ?

❋ Ton livre préféré c'est :

1. Un roman historique, avec un peu de mystère et beaucoup de choses à apprendre
2. Une histoire d'amour pleine d'émotion
3. Une aventure trépidante pleine de rebondissements
4. Un magazine auquel tu es abonnée depuis des années
5. Un livre sur ta plus grande passion

❋ Ta plus grande peur :

1. Qu'on t'interdise de rêver ou d'être curieuse
2. Ne pas trouver le grand amour
3. Que la nature et les animaux s'éteignent définitivement
4. Être détestée de tout le monde
5. Ne pas faire le métier dont tu rêves

❋ Tes amis t'organisent une fête surprise, ta première réaction :

1. Tu avais déjà deviné, mais tu ne leur dis rien pour leur faire plaisir
2. Tu embrasses tous tes amis pour les remercier d'être si gentils
3. Tu te réjouis que ce soit dehors
4. Tu pleures d'émotion
5. Tu espères qu'il y a de la bonne musique pour danser

✻ Ton porte-bonheur c'est :

1. Ton livre préféré
2. Un petit objet qui te rappelle quelqu'un que tu aimes
3. Un fer à cheval ou un trèfle à quatre feuilles
4. Tu n'en as pas : la réussite n'est pas une question de chance
5. Un objet que tu utilises tous les jours

✻ Avec ton ou ta meilleure ami(e) tu aimes :

1. Te déguiser, t'inventer des histoires
2. Parler de tout et de rien jusqu'au bout de la nuit
3. Faire du sport, de la musique ou tout autre activité qui te passionne
4. Avoir des fous rires
5. Faire la fête

✻ La ville que tu aimerais visiter par-dessus tout c'est :

1. Londres, moderne et mystérieuse
2. Venise, romantique et intemporelle
3. Aucune, tu préfères la campagne et l'air frais!
4. Paris, pour la mode et la tour Eiffel
5. New York, fascinante et trépidante

❋ Si tu pouvais voyager dans le temps, tu irais :

1. À toutes les époques, il y a beaucoup trop de choses à voir pour n'en choisir qu'une!
2. Au Moyen Âge, pour qu'on te fasse la cour de façon romantique
3. Au temps des dinosaures, pour voir la Terre à l'état sauvage
4. Au temps de la cour du Roi-Soleil, pour danser parmi le beau monde
5. Dans les années vingt, pour les soirées dansantes interdites et la célébrité

❋ Le Nouvel An pour toi, c'est :

1. Différent chaque année !
2. Une soirée que tu aimes passer en amoureux
3. Un moment à passer à rigoler entre amis
4. L'occasion de prendre de bonnes résolutions
5. Une super-fête

Tu as obtenu un maximum de 1 : Skye
Passionnée et très créative, tu adores la mode
et l'histoire. Tu as tendance à te perdre dans tes rêves,
mais grâce à ta nature curieuse et généreuse,
tu parviens souvent à les rendre réels !

Tu as obtenu un maximum de 2 : Cherry
Tu es à la fois discrète et cool, rêveuse et attentive
aux autres. Pour toi, rien ne vaut les moments passés
en famille et avec tes amis, qui sont des sujets
d'inspiration inépuisable.

Tu as obtenu un maximum de 3 : Coco
Pour toi, chaque jour est une aventure. Proche
de la nature, tu possèdes une conscience aiguë
des problèmes environnementaux, que tu combats
par ton mode de vie et tes engagements. Tu es joyeuse,
courageuse et déterminée : une fille sur qui compter !

Tu as obtenu un maximum de 4 : Honey
Artiste dans l'âme, tu as une sensibilité à fleur de peau
et un caractère volcanique. Il faut de la patience pour
gagner ta confiance, mais, une fois accordée, ton
amitié est profonde et sincère.

Tu as obtenu un maximum de 5 : Summer
Tu es élégante et raffinée, tu aimes les challenges
et le travail qui les accompagne. Mais tu n'oublies pas
de profiter de tes amis – grâce à ton charme et à ta
sensibilité, tu en as beaucoup !

L'auteur

Cathy Cassidy a écrit son premier livre à l'âge de huit ou neuf ans, pour son petit frère, et elle ne s'est pas arrêtée depuis.

Elle a souvent entendu dire que le mieux, c'est d'écrire sur ce qu'on aime. Comme il n'y a pas grand-chose qu'elle aime plus que le chocolat... ce sujet lui a longtemps trotté dans la tête. Puis, quand une amie lui a parlé de sa mère qui avait travaillé dans une fabrique de chocolat, l'idée de la série « Les Filles au chocolat » est née !

Cathy vit en Écosse avec sa famille. Elle a exercé beaucoup de métiers, mais celui d'écrivain est de loin son préféré, car c'est le seul qui lui donne une bonne excuse pour rêver !

Découvre un extrait de Miss pain d'épices !

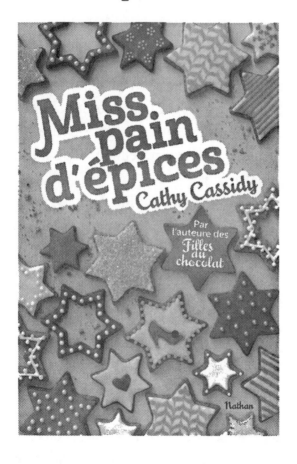

Disponible en librairie

1

Cannelle Brownie... on dirait une couleur de peinture ou de teinture pour les cheveux. Ou encore un gâteau bizarre un peu écœurant. Quel genre de parents appellerait leur fille ainsi ? Réponse : les miens.

Ils n'avaient pourtant pas l'intention de me gâcher la vie. Ils ont simplement trouvé original de choisir les prénoms de leurs enfants en s'inspirant des jolis bocaux en verre de leur placard à épices. Si mon père n'avait pas été un si grand amateur de cuisine, rien de tout cela ne serait arrivé.

Ma grande sœur s'appelle Mélissa, d'après la plante aromatique qu'on retrouve souvent dans les tisanes. J'ai eu moins de chance qu'elle. Si encore je n'avais pas eu les cheveux roux foncé, ça aurait pu passer.

Mais avec une combinaison pareille, j'étais condamnée à devenir la cible de toutes les plaisanteries.

Je l'ai compris dès mon premier jour à l'école primaire, quand la maîtresse a réprimé un sourire en faisant l'appel. Les garçons m'ont tiré les tresses en riant, et les filles m'ont demandé si mes parents étaient pâtissiers. Très drôle.

Ce soir-là, en rentrant à la maison, j'ai annoncé à mes parents que je voulais changer mon prénom en Emma ou Sophie. Ils se sont gentiment moqués de moi. D'après eux, c'était une bonne chose de ne pas ressembler à tout le monde, et Cannelle était un très joli prénom.

Ça ne m'aidait pas beaucoup.

– Ne les laisse pas t'atteindre, m'a conseillé ma sœur. Ris avec eux ou ignore-les.

Facile à dire. Mélissa allait déjà au collège et c'était une fille sûre d'elle, populaire et entourée d'amis. Elle avait beau avoir les mêmes cheveux que moi, personne ne la taquinait jamais à ce sujet.

J'ai fini par m'apercevoir que le plus simple était de me faire la plus discrète possible.

– C'est une élève très réservée, a confié Mlle Kaseem à mes parents au début de mon année de CM2. Elle est adorable, mais elle ne se mêle pas beaucoup aux autres. Rien à voir avec Mélissa.

Heureusement, elle ne leur a pas tout raconté – que personne ne me choisissait lorsqu'il fallait composer une équipe en sport ou préparer un exposé, que mes camarades ne m'invitaient jamais à leurs soirées pyjamas, leurs fêtes ou leurs sorties au cinéma. J'étais le mouton noir de la classe. Assise toute seule à la cantine, je rêvais de devenir invisible tout en mangeant une seconde part de tarte pour m'occuper et combler le vide que la solitude creusait dans ma poitrine.

– Non mais regardez-la, a lancé Chelsie Martin à ses copines un jour. Elle est énooorme ! Je l'ai vue engloutir deux paquets de chips à la récré, et elle vient de reprendre des frites ! C'est écœurant.

J'ai continué à sourire comme si je n'avais rien entendu. Et dès que Chelsie a tourné les talons, je n'ai fait qu'une bouchée de la barre de chocolat prévue pour mon goûter.

À l'époque, je pensais que ma vie ressemblerait toujours à ça.

Mes parents commençaient à s'inquiéter. Ils me poussaient sans cesse à inviter des amis, ou à m'inscrire à des cours de danse comme ma sœur.

– Ce serait sympa, insistait maman. Tu pourrais rencontrer du monde, et ça te ferait du bien de bouger un peu.

C'est là que j'ai compris qu'eux aussi me trouvaient grosse et nulle. Je n'étais pas la fille dont ils rêvaient, une fille capable d'assumer un prénom aussi original que Cannelle.

À l'approche de mon onzième anniversaire, ils m'ont

proposé d'organiser une fête. J'ai refusé en prétextant que ce n'était plus de mon âge.

– Il n'y a pas d'âge pour s'amuser! a rétorqué mon père.

J'ai vu passer une drôle de lueur dans ses yeux, sans savoir si c'était de l'inquiétude ou de la déception.

– Sinon, a-t-il repris, pourquoi pas une séance de cinéma ou un après-midi à la patinoire?

J'ai fini par céder tout en sachant que c'était une très mauvaise idée.

– Mais si personne ne vient? ai-je demandé à ma sœur d'une petite voix.

Mélissa a éclaté de rire.

– Bien sûr que si, ils viendront!

Je me suis donc décidée pour la patinoire. Maman a préparé un gâteau au chocolat à trois étages couronné de onze petites bougies. Malgré mes craintes, j'étais surexcitée. Mélissa m'avait prêté du fard à paupières rose pailleté, et j'avais enfilé une tunique à fleurs toute neuve par-dessus un jean. Je me trouvais presque jolie.

Le rendez-vous était fixé à 14 heures. Emily Croft et Meg Walters, deux filles un peu intellos qui me laissaient parfois traîner avec elles à la récré, sont arrivées pile à l'heure.

– Il y aura qui d'autre? m'ont-elles demandé.

– Oh, plein de monde, ai-je répondu malgré le doute

qui commençait à m'envahir. Chelsie, Jenna, Carly, Faye…

Sur les conseils de Mélissa, j'avais convié l'ensemble des filles de la classe : la patinoire était assez grande pour accueillir tout le monde, et même si nous n'étions pas proches, ce serait l'occasion de faire mieux connaissance. Au fond de moi, j'avais toujours rêvé d'une grande fête de ce genre. Et je ne voulais pas décevoir ma sœur. La plupart des filles m'avaient d'ailleurs répondu qu'elles viendraient.

Mais pourquoi n'étaient-elles toujours pas là ? À 14 h 30, papa a regardé sa montre pour la centième fois.

– Mélissa, emmène Cannelle et ses amies à l'intérieur. Ta mère et moi allons attendre encore un peu. Les autres ont peut-être mal compris l'heure du rendez-vous.

Emily a sorti l'invitation de sa poche.

– Pourtant, c'est bien marqué 14 heures.

Je lui en ai voulu de ne pas jouer le jeu, de ne pas mettre ce retard sur le compte d'une erreur ou des embouteillages – n'importe quoi pour soulager mon angoisse.

Mélissa nous a entraînées dans le bâtiment. J'avais l'impression qu'au moindre choc, je risquais d'exploser comme une statue de verre. Mes yeux me piquaient. Nous avons retiré nos chaussures, enfilé d'affreuses bottines munies de lames, puis nous sommes descendues sur la glace. Il faisait très froid, et j'avais du mal à tenir sur mes jambes.

Au début, je suis restée agrippée à la rambarde, jusqu'à ce que Mélissa prenne les choses en main et m'oblige à faire quelques pas. Finalement, c'était plutôt amusant. Bientôt, Emily, Meg, ma sœur et moi avons commencé à tourner autour de la patinoire en poussant des cris terrifiés chaque fois que quelqu'un nous dépassait.

Mes parents ont fini par arriver, et Mélissa nous a abandonnées quelques instants pour aller leur parler. C'est alors que j'ai aperçu Chelsie, Jenna, Carly et Faye.

Les quatre filles les plus populaires de la classe étaient venues à mon anniversaire ! Elles avaient dû se tromper d'heure, comme l'avait supposé mon père. Je me suis élancée vers elles, un immense sourire aux lèvres.

– Salut, Cannelle, a dit Chelsie.

Sa voix était dure, comme toujours lorsqu'elle s'adressait à moi – ce qui de toute façon ne se produisait pas souvent.

– On se doutait qu'on te croiserait ici, a-t-elle repris. Désolée, on n'a pas pu venir à ta fête... on avait mieux à faire.

Ses copines et elle ont éclaté de rire tandis que

j'essayais de comprendre. Pas pu venir? Mieux à faire? Pourtant, elles étaient bien là... Puis tout est devenu clair.

Ce n'était pas mon père qui avait payé leur entrée. Elles étaient là depuis le début, attendant mon arrivée pour se moquer de moi. Je suis devenue toute rouge.

– Regardez! s'est exclamée Faye. Elle sera bientôt de la même couleur que ses cheveux!

J'ai souhaité très fort que la patinoire s'ouvre en deux et m'engloutisse à jamais. Bien sûr, ce n'est pas ce qui s'est passé. Je sentais vaguement la présence d'Emily et Meg dans mon dos, et je savais que maman, papa et Mélissa nous observaient. J'ai voulu me retourner pour échapper au regard cruel de Chelsie et au sourire de Faye, mais j'ai perdu le contrôle de mes patins. Je me suis étalée sur la glace sous leurs éclats de rire.

Emily est venue s'accroupir à côté de moi.

– Ignore-les, m'a-t-elle gentiment conseillé. Viens, Cannelle. Ne les laisse pas gagner.

Le temps que je me relève, Chelsie était déjà en train de s'éloigner. Elle m'a jeté un coup d'œil par-dessus son épaule, et je l'ai entendue dire à ses copines:

– Non mais regardez-moi cette grosse nulle!

Quand je repense à cette journée, je sens encore la honte qui m'a envahie tandis que le froid engourdissait mes mains et s'infiltrait dans mon cœur.

Emily et Meg m'ont accompagnée jusqu'à la rambarde, où j'ai raconté à ma sœur et à mes parents que je m'étais fait mal. Nous avons quitté la glace, rendu nos patins et gagné la cafétéria située à l'étage. Maman a apporté le gâteau au chocolat pendant que tout le monde me chantait «Joyeux Anniversaire».

Mais je ne pouvais pas m'empêcher de regarder vers la patinoire en contrebas, où Chelsie, Jenna, Carly et Faye tourbillonnaient en agitant leurs cheveux et en draguant les garçons. Même si je les détestais, une part de moi rêvait de leur ressembler.

J'ai soufflé mes bougies et fait un vœu.

ENVIE DE DÉCOUVRIR
DES EXTRAITS D'AUTRES ROMANS?
ENVIE DE PARTAGER
VOS AVIS SUR VOS LECTURES PRÉFÉRÉES?
ENVIE DE GAGNER DES ROMANS EN EXCLUSIVITÉ?
REJOIGNEZ-NOUS SUR

www.lireenlive.com

ET SUIVEZ EN DIRECT L'ACTUALITÉ
DES ROMANS NATHAN

MIXTE
Papier issu de
sources responsables
FSC® C022030

FSC
www.fsc.org

N° d'éditeur : 10253217
Achevé d'imprimer en janvier 2019 par CPI Brodard et Taupin (72200 La Flèche)
N° d'impression : 3032584